Discover
ディスカヴァー

勝間和代の
インディペンデントな生き方
実践ガイド

勝間和代
経済評論家・公認会計士

はじめに

この本は、二〇〇六年一月に私が初めて出した単著『インディでいこう！』をディスカヴァー携書として出版し直したものです。この本を出してから、今この「はじめに」を書いている二〇〇八年二月まで、わずか二年あまりですが、本当に思いもかけないくらい、いろいろなことがありました。

たとえば、今この本を読んでいらっしゃる読者の方々のほとんどは、「勝間和代」という人物をなんらかの形で知ってから手に取っている方だと思います。それは、私のこれまでのいろいろな著書や連載をしていた記事を読んだり、あるいは出演していたテレビを見ていたのかもしれません。

ところが、この本が出た当時は、私の名前を本当に、誰も知りませんでした。
いろいろな講演会のとき、いつも最初に「私のことを知っているか」というアンケートをとるのですが、今でこそ八割を超える聴衆の方が私を知っているものの、当時は「知っている」と手を挙げてくださる方は一割にも満たなかったことをよく覚えています。

＊すべてはこの本から始まった

とはいえ、この本は私の原点です。その後に出して、運よくベストセラーになった『無理なく続けられる年収10倍アップ勉強法』（小社刊）、『お金は銀行に預けるな』（光文社）、『効率が10倍アップする新・知的生産術』（ダイヤモンド社）の思想の根幹が、この本にあるのです。

『無理なく続けられる年収10倍アップ勉強法』はもともと、この本の中に書かれている「学び続ける力」がおもしろいということで、この本の編集者でもあったディスカヴァー・トゥエンティワンの社長の干場さんが私を一年がかりで口説き落として作った本です。

また、今では講演会のたびに話すので有名になった「三毒追放（＝怒らない、妬まない、愚痴らない）」という話や、ブログを書くこと、隙間時間の学びの勧め、お金に対するコントロール、資本主義では情報はお金であることなど、実はすべてこの本に書いてあるのです。今さらながら読み直して、自分でもびっくりするくらいです。

ではなぜ、この本が当時、あまり売れなかったのか。

それは、私がまだ証券会社の社員で、著者名も「ムギ」と表記して本名は括弧にしていたくらい、本を売ることについて正直、腰が引けていたためです。当時は、「証券会社の本業に身が入らなくなるのは困るから、稼いだ印税は慈善団体などへの寄付も考えるように」と上司から言われていたくらいですから、売れるわけがありません。

しかしその後、二〇〇七年一月に会社を辞めて独立してから、そのような制約もなくなり、力一杯マーケティングにいそしんでいたら、どんどん結果がついてきました。二〇〇七年に私が出版した単著五冊の累計部数は、二〇〇八年二月現在、なんと六十八万部にもなったのです。

そして、多くの方から、私の最初の本である『インディでいこう！』を読んでみたいというリクエストをいただきました。それを受けて、今回携書として再度、店頭に置かせていただくことになったのです。

＊「精神的にも経済的にも周りに依存しない生き方」の勧め

この本のキーワードは「インディ」、すなわち「インディペンデント」「自立」です。

私たちは日本全体の経済が大きく成長する中で、決められた路線にのっとって歩んでいけば、将来の不安もなく、落ち着いた人生が送れると信じてきました。

ところが、それは一九九〇年代のバブル崩壊で跡形もなく吹き飛び、景気が回復した二十一世紀の今でも、政府、企業ともに私たちの面倒をみる余力はなくなってしまっています。

また、もともとこの本は二十代から三十代の女性に向けて書いたものですが、今は男性であっても生涯雇用は保証されなくなり、年功序列もなくなってきたため、インディペンデントでいることは、男女ともに、安定して幸せに生きるための必須条件となりつつあります。


では、インディペンデントな生き方とは、具体的にどんなものなのか？

この本では、インディペンデントな生き方を、以下の三つの条件で規定しています。

1　年収六百万円以上を稼ぎ、
2　いいパートナーがいて、
3　年をとるほど、すてきになっていく。

そして、その実現のためには、精神的自立と経済的自立が不可欠であると考え、どうしたらその二つが達成できるのか、その具体的な手法として「じょうぶな心を作る四つの方法」と「学び続ける力をつける四つの方法」を紹介しています。さらに、「パートナーの選び方」を伝授した上で、「明日から始める六つの約束」で本書を終える構成になっています。

また、この本の中では、自立をせずに、自分の人生を周りに委ねてしまっている人を、「インディ」と対比させて「ウェンディ」と呼んでいます。インディペンデントになる力をつけることは、短期的にいろいろと考え方を変えたり、面倒そうなことを習慣づけなければいけないかもしれません。けれども中長期的には、実はそのほうがずっと楽なのです。

この本の「コラム1」に書いたとおり、実は私も二十代前半までは立派なウェンディでした。しかし、コツコツといろいろな習慣を見直し、新しい力を身につけることで、ここまで来ることができたような気がします。

その道筋を逆算して、因数分解したのが、ここに記したいろいろな力なのです。

＊書いてあることは、即実践！

幸いなことに、『インディでいこう！』を出してから、さまざまな読者の方から感想のメールをいただきました。多くの方は、実際にこれらの方法や六つの約束を実行してみたところ、すてきな恋人が見つかった、より収入の高い仕事に就くことができた、年をとることを前向きにとらえられるようになった、などなど、多くの成果があったようです。

もちろん、著者である私も、ここで書いたことはずっと守ってきました。これらのノウハウによって、この本を出してからわずか二年の間にたくさんの成果を得ることができたことは言うまでもありません。

さまざまな知恵や体験は、人と共有すればするほど、その成果が大きくなって返ってくるというのが、私のこれまでの経験則です。私はこれを「Give の5乗（Give&Give&Give&Give&Give）」と呼んでいます。

ぜひ、ここに書かれた方法を実践してみて、その成果を実感し、そして、また周りの人とその経験や体験を共有してみてください。そうすることで、私がこの二年間で経験しためくるめくようなごほうびが、きっとあなたの元にもやってくるはずです。

みなさんからのうれしいご報告を、ブログで、そして、メールで見る日を心から楽しみにしています。

二〇〇八年二月

勝間和代

勝間和代の　インディペンデントな生き方　実践ガイド

目次

第1章　インディになりませんか？

インディってどんな女性？

「インディ」とは、精神的にも、経済的にも周りに依存しない、自立した生き方です。

では、具体的には、どんなライフスタイルなのでしょうか？　イメージをより明確にするために、次の三つの条件を考えてみました。

＊インディの三つの条件

インディの条件その１　年収六百万円以上を稼げること
インディの条件その２　自慢できるパートナーがいること
インディの条件その３　年をとるほど、すてきになっていくこと

インディな女は、他人の評価に気持ちが左右されません。周りの環境が厳しい方向に変わっても、そこから学び取りながら、楽しく、しなやかに生き抜くことができます。

たとえば、勤めている会社の業績や業界の景気が悪くなってくると、なぜか自然と次のよい仕事の声がかかります。そして、年収もしっかりアップしていきます。

さらに、いつもいい男とつきあって、互いに学び合っています。もし、今つきあっている男とうまくいかなくなってもだいじょうぶ。それは自然の成り行きなので、よりよい男が相手から寄ってきます。

また、今のままでも十分に魅力的ですが、特に若さや美貌を売りにしていませんので、時間がたつほど、どんどんいい女になっていきます。

＊二人のインディ

では、インディは具体的にはどんな人をイメージすればいいのでしょうか？

実は、有名な人たちというわけではなく、まだ少数派ですが、あなたの会社にもお友だちにも、すてきなインディがいるのです。

ここで、インディというには少しエリートすぎるかもしれませんが、私の尊敬するすてきな先輩、川本裕子さんを紹介させてください。

もともとインディというライフスタイルを考えたときに、インディを極めた一人としてイメージした方で、私のロールモデルでもあります。

川本裕子さんというお名前は、ふだん日経新聞に目を通す機会が多い人や銀行関係のお仕事の人であれば、きっと見かけたことがあると思います。現在は、早稲田大学大学院ファイナンス研究科の教授をなさっています。

川本さんがすごいのは、これだけの肩書きを持ちながら、会社や周りに決して依存せずに、自然体でしっかりと、二人のお子さんを育てながら、言うべきことはしっかりと言っていく、ということです。

たとえば、こんなエピソードがあります。

• 二人のお子さんのために、恒常的な残業が当たり前のコンサルティング業界で、きっちりと午後六～七時には帰宅できるようにしてきたこと。

・ご主人がパリに転勤になったときには、家族で一緒に行くことを選び、「またとないチャンス」として、より仕事の幅を広げて帰ってきたということ。
・道路公団の民営化の際、民営化を吟味する推進委員の一人として選ばれ、現在道路公団でどれだけの借金があるのか、現実を直視してください、とこれまで公団側があえて議論しようとしなかった債務の問題に触れ、反対派の人たちにおもねることなく、しっかりと自分の意見を言い続けたこと。川本さんの名前が一躍有名になったエピソードです。

お会いするとわかるのですが、すごく自然体で、いつも笑顔を絶やさずに、いろいろなことから独立して生活を楽しんでいらっしゃるのです。

また、決して「女性である」ということを仕事上のアピール・ポイントにしていません。でも、後進についてはとても気にされていて、二十代から三十代の女性に対して役立てることであれば、力になりたい、とおっしゃっています。育児に関するすてきなコラムも新聞や雑誌に書かれています。最近は『川本裕子の時間管理革命』（川本裕子著、東洋経済新報社）という著作でも有名です。

もう一人のインディの女性としてご紹介したいのが、友人の柏恵子さんです。今は外資系企業の営業職です。一九六〇年生まれ、既婚、小学生の男の子がいます。では、柏さんがどんなふうにインディなのか、いくつかエピソードを紹介します。

- 「目指せ!! 上級管理職!!」（現在は「ピグマリオン・自己達成予言で自分プロデュース」に名称変更）」（http://www.fan.hi-ho.ne.jp/wanwan-2/）というウェブサイトを一九九八年から運営し、女性のインディ化を先頭に立って応援しています。
- ご本人も、もともと、女性では珍しい水産商事会社の課長職として、カニやホタテの買い付けに日本全国を走り回っていました。
- 何がすごいって、二〇〇三年に仕事からきた腰痛が悪化したのを機に、四十歳を超えているにもかかわらず、すっぱりと前職を辞めてしまいました。そして、自分の好きな商品を作っている会社に何度もアプローチして、正社員として再就職しました。
- その裏では、水産会社時代から、自腹でマネジメント研修に通い、自分で勉強会を開催するなど、コツコツと地味な努力をされていました。

・お金のマネジメントもとても上手で、いつもおいしいお料理を「えっ」という低予算でごちそうしてくれます。もちろん、すてきな自宅も貯めたキャッシュで入手!!

他に、私が主宰するワーキングマザーのためのコミュニティサイト『ムギ畑』にも、同じように三つの条件を満たすすてきなインディたちがたくさんいます。

どうでしょう。インディという生き方、とてもすてきだとは思いませんか？
ひと昔前のロールモデルの女性たちは、たとえば、国連で活躍した緒方貞子さんや元参議院議員の田嶋陽子さんといった面々ですが、そういう「えらーーーいひと」という感じではなく、**いい感じに自分の生活と仕事のバランスをとりながら、しかもどこでも自由に生きていけて、稼げる女、そんな女が「インディ」**です。

＊ウェンディという生き方

一方、「インディ」な生き方を実践している女性の逆は、「ウェンディ」な生き方の女性です。お伽話のピーター・パンに出てくるヒロインの、あの「ウェンディ」です。ウェンディは、大人になりたくないと思い、子ども部屋から出ることを拒否し、ピーター・パンを待ち続けました。ウェンディのように、独立することを避けて子どものままでいたい、そのような気持ちをウェンディという言葉で表しています。

ウェンディな女は、以下のような特徴を一つ、または二つ以上、持っている傾向があります。

特徴その1

年収三百万～四百万円くらいで、そこから増える展望が見えない、あるいは増やす意思がない。十分な収入がないため、実家の親の援助や、結婚という形でパートナーに頼ろうとする。自分が持っているスキルに自信がないので、クビが怖くて、勤め先の会社の上司にも言いたいことが言えない。

特徴その2

彼氏や夫がいない、またはいても、今のパートナーに不満を持ち、自分のパートナーを人にのろけることができないまま、自分を救ってくれるピーター・パンが来てくれることを夢見ている。友人と集まっても、みなでパートナーの悪口に花が咲く。

特徴その３

ふだんから美容にとても気を遣っており、化粧やファッションは万全。でも、年をとることが怖く、アンチエイジングやエステ、スポーツクラブに大金を使っている。口癖は「もう○歳になっちゃった」。

たいてい新人の頃は年収三百万〜四百万円程度でしょうから、今の年収がそれだけだからウェンディである、というわけではありません。そうではなくて、そこから六百万円稼げるようになる環境も能力もありながら、年収一千万円のパートナーを見つけると、さっさと仕事を辞めてしまう、もしくは、そういう生き方が理想だと思っているのがウェンディの特徴です。

＊ウェンディからインディへ

さて、特徴を見て、ちょっとだけドキッとした読者の方も多いのではないでしょうか？　でも、ここで一つ勘違いしていただきたくないのが、ウェンディが悪くて、インディのような生き方が絶対にいい、といったような、二元論ではないということです。

なぜなら、**インディになるためには一定の努力が必要ですし、そのために失うものもある**からです。

ただ、ウェンディでいることに心地悪さを感じている人、あるいは、ウェンディ以外の生き方の実例も見てみたい、と考えている人もいるはずです。

そうした方に、インディという選択肢もあるということをお伝えしたい、それで、それにちょっと挑戦したいということであれば、その手助けがしてみたい、というのがこの本の趣旨です。

もちろん、今ウェンディのあなたが、明日から突然、インディになれるわけではありません。でも、六百万円を稼いで、自然体で自立しているいい女＝インディに少しずつ変わっていくのは、実はコツさえわかれば、そんなに難しいことではないのです。

このコツ、というのは、たとえば自動車の運転をするとか、スキーを滑る、といったような簡単な訓練に近く、体感して習うようなものです。

できるようになると、あれ、なんで今までできなかったのだろう、と思うようなスキルです。

ただ、よいコーチについて、理論を学び、そして自分でもやってみる、という繰り返しは必要になります。

そのため、今はウェンディだけれども、インディという生き方を考えてみたいあなたに、インディになる方法——その理論と練習方法を、昔、私がいろいろな先輩のコーチから習ってきたように、しっかりとお伝えしていきます。

インディの条件その1

年収六百万円以上を稼げること

インディの条件として六百万円の年収を挙げました。それは、次のような理由からです。

・結婚している場合も、夫や周りから「趣味の仕事」と言われない金額であること。
・離婚したいと思ったときに、たとえ子どもを持っていても、東京のような都市部でも、自分一人で家を借りて、子どもを育てて、生計が立てられる金額であること。
・人に自分の仕事を説明するときに、「○○のプロ」として誇れる金額であること。

＊十人に一人はインディの資格あり!?

では、この年収六百万円、どのくらいたいへんな金額なのでしょうか？
総務省発表の民間給与の実態調査によれば、平成十五年度で、女性で一千万円以上稼ぐ、いわゆるミリオネーゼは、働く女性のうちの、なんと、わずか一・二パーセントです。これだと、ちょっと手が届く感じがしませんね。

一方、このハードルを六百万円以上に下げると、九・五パーセントになります。ミリオネーゼになっているのは百人に一人ですが、インディであれば十人に一人がなれる計算になります。どうでしょう。ぐっと、身近に感じませんか？

なお、男性は一千万円以上が十パーセント、六百万円以上が四十五パーセントです。女性で六百万円稼ぐとは、上位十パーセントになるということで、これは、男性でいうと、一千万円稼ぐようなイメージなのです。そして、半数の男性と同じくらいの金額を稼ぐことでもあります。

では、実際、二、三十代で六百万円の年収の仕事というのは、どんな感じなのでしょうか？

一般的な会社勤めの場合、月々の額面給料が四十万円弱、ボーナスが、夏冬二カ月ずつとして、だいたい七十万～八十万円くらい。具体的には、経験ある看護師さんや学校の先生、あるいは中堅企業の管理職、やり手の営業職などの人たち、でしょうか。「何か人よりも、ちょっと秀でたスキルをコツコツと育てていて、そのスキルを社会が必要としていること」といったイメージです。

新卒のときに六百万円もらえる仕事なんて、それこそ、医師や弁護士くらいしかありませんが、スキルを積み上げることで、二十代では無理でも、三十代前半くらいまでに六百万円を狙える仕事なら、女性でも意外とたくさんあります。

繰り返しになりますが、ぜひ覚えてください。

六百万円の年収だけあれば、結婚していても、夫やその家族に「腰掛け仕事」と揶揄される心配もありません。また、パートナーに対して不満があり、どうしても改善しそうになかったら、離婚もできます。慰謝料や養育費がもらえなくても生活できるので、不満のある結婚生活を経済的な理由のために続ける必要はありません。賃貸住宅の契約も、住宅ローンも、自分の名義で作ることができます。

つまり、**六百万円というのは、ある意味、女性がハンデなく社会参加するための象徴的な金額なのです。**

あなたの自由は、とりあえず六百万円をクリアすることで始まるのです。

では、どうやったら六百万円稼げるようになるのでしょうか？

私が運営しているコミュニティサイト『ムギ畑』では、実際に、インディとしてのノウハウや自信を得ることで、既婚女性が転職したり、独立を実現したりして、しっかりと年収六百万円以上を稼ぐようになった事例がたくさんあります。

これは、『ムギ畑』が、よい先輩を見てノウハウを教わる、という練習場になっているためだと思われます。

この本では、インディになるための方法について、「じょうぶな心」と「学び続ける力」の二つに分解して、あとでゆっくりと説明します。

このように、**ある目的を達成したいと思ったら、その具体的な方法をどんどんと細かいノウハウに落としていって、一つずつ、日常的に実践できるものにする、というのが実は早道**なのです。

インディの条件その2

自慢できるパートナーがいること

＊インディになると、つきあう男のレベルが変わってくる！

インディの条件の二つ目は、いい男。「年収はともかく、こちらのほうは……」と自分に制限を与えないでください。だいじょうぶ、これはちょっと内緒の話なのですが、六百万円稼げるようになると、つきあう男のレベルが変わってくるのです。

もちろん、気をつけないと、収入目当てのだめんずが寄ってきてしまう可能性もありますが、それでも、自信を持って仕事をしている女は、いい男と知り合う機会が格段に増えます。そして、いい男とつきあっていると、どんどんその男から学べるため、ますます仕事も上手に回るようになります。

同じ稼いでいる女でも、柔らかい雰囲気がして、女でも男でもあこがれる女と、うーーーん、ああはなりたくないよね、という女の大きな違いは、実は、つきあっている男の違いである場合が多いのです。顔つきが違う、という感じでしょうか。

いい男とつきあっていれば、自然と身なりにも健康にも気を遣うし、笑顔も生まれ、精神も安定しますので、ますます仕事がうまくいくことになります。

この二つ目のインディの条件、「いい男」を考えるのにあたって、もっとも知恵をくれたのは、週刊『ＳＰＡ！』で『だめんず・うぉ～か～』を連載している、漫画家の「くらたま」こと倉田真由美さんです。仕事のインタビューでお会いして、それから意気投合、何回かお茶や食事をご一緒させていただくうちに、この条件を固めました。

もう一人、この条件についてインスピレーションをくれた人物がいます。それは、私自身のパートナーです。

ご存じの方もいらっしゃると思いますが、私は二〇〇五年に『ウォール・ストリート・ジャーナル』紙の「世界でもっとも注目したい五十人の女性」の一人に選ばれました（今後ビジネスで活躍する可能性がある女性を、世界から四百五十名ほど集め、さまざまな基準から最終的には五十名を選考するもの。別部門で他に二名の日本女性が受賞しました）。実は、これにはパートナーの影響が大きいのです。

以前、くらたまさんに「ブレイクしたきっかけは？」と尋ねたら、「いい男とつきあい始めたこと」と断言されていました。私も、今のパートナーと過ごすようになってから、とてもよい影響を受け、仕事も順調になり、そのような栄誉ある選考に至ったわけです。


意外かもしれませんが、**大人の仲間として、もっとも長い時間、一緒にいるのがパートナーです。そうしますと、そのパートナーからいい影響を受けることができるのかどうか、というのが、インディの大事な条件**になります。

＊いい男の条件

では、どのような男をいいパートナーと呼ぶのでしょうか？

インディにとってのいい男とは、**互いに影響を与え合い、成長し合える関係になれる相手**です。お互いに、相手に対して「すごいなぁ」と思う部分があり、身近なことの情報交換をしたり、仕事の相談をしたり、休日には街でいろいろな刺激を一緒に経験していきます。もちろん、この「いい男」は夫でも、恋人でもいいです。

自分がつきあっている男がいい男かどうかを知るよい手段があります。それは、その相手のことを友人にのろけられるか、ということです。

にこにこした笑顔で、パートナーのことをお友だちに自慢できるようであれば、だいじょうぶ。一方、何かいろいろと、つきあっている言い訳を探してしまったり、あるいは、一所懸命ほめられるところを見つけて、言葉はほめているんだけれども、顔つきはこわばっている、なんていうのはだめです。

それと、自分が年収六百万円以上なのですから、相手ももちろん年収六百万円以上がいいでしょう。自分がインディな女なのですから、相手も当然独立した男でなければなりません。あとで詳しく説明しますが、**できれば一千万円以上の年収の男**のほうが、バランスがいいでしょう。そして、インディの生き方を尊重してくれ、自分とともに成長してくれる、そんな男を探したいものです。

インディの条件その3

年をとるほど、すてきになっていくこと

六百万円のお金が稼げて、お友だちに自慢できるいい男がいる、これだけで十分インディな女ではないかと思うでしょう。でも、実は三番目の条件である、「年をとるほど、すてきになること」というのが、密かに、そして、いちばん大事なのです。

なぜいちばん大事なのか？

条件1と条件2をもう一度、見てください。女性であることや若さを売りにすることで、年収六百万円を稼ぎ、いい男を引き寄せることは、ある程度可能ですね。

しかし、これは偽物のインディなのです。

なぜかというと、**女性であることや若さを売りにしていると、容色が衰えていく三十五歳くらいをピークに、人生が下り坂になっていく**からです。結果、男も逃げ、収入も下がっていきます。

たとえば、女性のタレントでも、時間がたつとどんどんと人気が増していくタイプの人（たとえば、黒木瞳さんや小泉今日子さん）と、若いうちは人気があったけれども、今はどこに行ってしまったのかという無数の若い女性タレントとの差は、いったいどこにあるのでしょうか？

それは、本人が売りにしてきたのが、若さなのか、あるいは成長力なのか、という違いではないかと私は考えます。

人は、理性に左右されているようで、実は、いろいろと本能に左右されています。若さや美しさは、生殖機能の高さの表れですから、人は、これに無条件に惹かれてしまうのです。

そのため、若さと美しさは、一つの大きな財産となります。それに魅力を感じた人が周りに集まり、また、そのことを軸に仕事がうまくいくのは、それはそれですばらしいことです。

けれども、単に若いということ、美しいということを、本人のもっとも大事な魅力とすると、残念ながら、その財産は、年をとるごとに目減りをしていくわけです。

したがって、インディはその目減りをしていく美しさ以上に、魅力ある経験やスキルを身につけていき、年をとるほど、トータルでのいい女度を増していく必要があるのです。ですから、インディにとって、年をとるということは、経験を増すという意味で歓迎することであり、避けるべきことではないと考えています。

実際に、インディな女性に会うと、その雰囲気がよくわかると思います。「無理をしている」「痛々しい」といった感じがまったくしないのです。それどころか、三十代の頃よりは四十代、四十代の頃よりは五十代のほうが、本当にすてきなのです。

まさしく、自身の魅力と自身から生じるオーラのようなものを感じることがしばしばあります。それは、若さよりも何よりも魅力的です。

インディの方程式

＊あなたをインディに導く二つの法則

インディの定義を復習すると、次の三つでした。
条件その１　年収六百万円以上を稼げること
条件その２　自慢できるパートナーがいること
条件その３　年をとるほど、すてきになっていくこと
では、この状態に自分をもっていくためには、具体的に何をすればいいのか？
この三つの条件を満たすために必要な材料は、たった二つの法則です。逆に、この二つの法則を守る限り、インディの状態にならないほうがおかしいというくらい効果的なものです。
インディになるためには、**日常的なちょっとした考え方の変化や習慣の積み重ねが**

大事。まさしく、英語を習うとき、文法と単語を覚え、どんどん英会話をしてみるとだんだんと英語がわかるようになる、そのイメージと非常によく似ています。

あなたをインディに導く二つの法則とは、次の二つです。

1　じょうぶな心

2　学び続ける力

1の「じょうぶな心」については、**実は女性自身が気づいていない、女性特有の落とし穴や癖みたいなものがある**ということをまず知っておくことが大切です。

そして、その女性特有の落とし穴に陥ることなく、しっかりとした目標を持ちながら、周りと調和していく心の持ちようを身につけること。笑顔を保ち、愚痴を言わないなど、ちょっとしたコツがわかれば、誰にでもできます。

次に、2の「学び続ける力」ですが、これは、**学校では教えてくれない、仕事や考え方のノウハウについて、周りの人や教材を使いながら、どうやって効率的に簡単に**

身につけていくのかというノウハウです。

職場でのノウハウの学び方は、実は、男性だと、女性よりも割とたやすく手に入れることができるようになっているのですが、女性の場合は、ちょっとした工夫が必要になるのです。知ってしまえばどうってことのない工夫なのですが、知らないと、とても不利です。たいていの場合、女性は、自分ではそれと知らぬ間に、ハンデを負ってしまっているのです。

私はこういった、インディになるための方程式を、二十代の前半に読んだ『会社の掟知らない女性はソンしてる―ビジネス・ゲーム』（原題『母が教えてくれなかったゲーム』、ベティ・L・ハラガン著、WAVE出版、現在は絶版）という本や、何人かの先輩たちから学んできました。この本が、あなたにとって、そのような役割を果たしてくれればよいと思っています。

では、インディになるための二つの法則について、具体的なノウハウの説明に入る前に、少しだけページを割いて、なぜ女性は、インディに自然になることができなかったのか、次の章で、説明させてください。

この章のまとめ

★「インディ」とは、精神的にも経済的にも周りに依存しない、自立した生き方を表す言葉です。

具体的には、次の三つの条件を備えています。

インディの条件その1　年収六百万円以上を稼げること
インディの条件その2　自慢できるパートナーがいること
インディの条件その3　年をとるほど、すてきになっていくこと

★「インディ」の逆は、「ウェンディ」。ピーター・パンに出てくるヒロインの、あの「ウェンディ」です。独立することを避けて、子どものままでいたい――ひと言で言えば、依存的な女性の生き方を表します。

次のような特徴を一つ、または二つ以上、持っています。

特徴その１　将来にわたって経済的に自立する意思または展望を持っていない。
特徴その２　パートナーがいない。もしくは、今のパートナーに不満。
特徴その３　美と若さを売りにしている。または、しようとしている。

★「インディ」になるために必要なのは、たった二つの法則です。

１　じょうぶな心
２　学び続ける力

ちょっとしたコツやノウハウがわかれば、日常的な小さな考え方の変化や習慣の積み重ねによって、誰でも、この二つを身につけることができます。

コラム 1

ウェンディだった私がインディになっていったわけ

ここでいろいろと偉そうなことを書いている私も、二十代半ばまでは、完全なウェンディでした。もともと四人きょうだいの末っ子で育ったためか他人への依存心が強く、困ったときにはとにかく人に頼る、という形でした。

たとえば、大学卒業時の就職は、残業・出張がないところというのを条件にゼミの教授に相談。学生結婚した家の管理も、ちょっと複雑な意思決定（たとえば、家具を買うとか、家電製品をそろえるとか）になると元夫にお任せ。仕事先では上司に頼り切り。

それが、ここで書いているようなインディというコンセプトを打ち出せるようになったのも、さまざまな失敗や経験の中で、いろいろなことをコツコツと先輩が教えてくれて、あるいは本で学び、一つ一つを試行錯誤の中で実践してきたからだと思います。

たとえば、上司に「俺の顔を見て仕事をするな、お客の顔を見て仕事をしろ」

と怒られたり、「物事には二面性があって、いいことの裏には必ず悪いこともあるんですよ」と教えられたり、また、先輩には「『ムギ畑』の活動を中に閉じ込めているのはもったいないので、どんどん外に出したほうがいい」と言われ、「メディアに出られるのはいいことなのだから、迷わずしっかりと自分の意見を出していったほうがいい」とアドバイスをされたり、など。

自分としてもまだまだですが、『ムギ畑』などの場で、同じような境遇の人たちと助け合うことにより、あるいは、くらたまさんや川本裕子さんと知り合うことにより、少しずつ視界が広がっていったような気がします。

だからこそ、ウェンディからインディに少しずつ近づいていったプロセスを、ふだん、本職（アナリスト）で培った技術を使って、要素分解をして、もう一度わかりやすく方法論として再構築してみたいと思ったわけです。

この方法論が、後進の人たちへのヒントとして、役立つことを願っています。

第2章　それでもウェンディのほうがいいですか？

ウェンディのままでいいの？

ここまでお話ししたように、ちょっとしたノウハウさえ知っていれば、インディになることは決して難しいことではありません。すると、素朴な疑問がわいてきます。そんなにインディになることが簡単なのであれば、なぜ、インディとなっている女性がこんなに少ないのかと。

そのわけを知ることは、インディになってみたいと思うあなたにとって、きっと役に立つはずです。

＊ウェンディでいることのリスク

さて、ウェンディとインディの区分を考える前に、ちょっと現在の社会環境を考えてみましょう。

あまり考えたくないことですが、現実の世界では、いろいろな理由から、お金持ちか貧乏人かという社会の二極化が始まってきています。そのため、誰でも自分の将来に対し、多かれ少なかれ経済的な不安を持っています。

正直、ウェンディのままだと、結婚しても不幸になるかもしれないし、出産してもお金が続くかどうか怖いというのが、多くの人の本音でしょう。

そのため、女性全体に、結婚への恐れによる晩婚化や、子どもを持つことのコストに対する不安からくる少子化が生じてきています。

でも、本当は、みんな、自由に、若いタイミングで結婚したいし、経済的な問題がなければ、子どももっともっと産みたいのです。

＊もし、インディなら

もし、インディになって、さまざまな自由を手に入れられれば、好きなタイミングで結婚し、子どもを産むこともできるようになります。出産で会社をすぐにはクビにならない、あるいはクビになっても次の就職先で食べていける技術を持っているのが、インディなのですから。周りでリストラが始まっても、逆に出世や転職のチャンスだ、と割り切ることだってできるでしょう。

さらに、自由に結婚・出産・離婚・再婚できるだけの女性としての魅力や経済力、精神力を兼ね備えていれば、自分からどんどんいい男を探していくことができますし、そのいい男からよい影響を受けていくこともできます。子どもだって、二人と言わずに、もっともっと、たくさん産むことができます。そして、堂々と、自分の年を公開できるし、年相応の経験や美しさを兼ね備えていきます。

あなたは今、生活のために、いやいや仕事をしていたりしませんか？

あるいは、本当は別れたい相手との不満足な結婚生活を、経済的な不安のためだけの理由から続けていたりしませんか？

または、将来に対して、より悪くなっていくような、漠然とした不安をかかえてはいないでしょうか？

もし、どれか一つでもあなたに心当たりがあるとしたら、それはウェンディであるがゆえの不安です。ウェンディであることのメリット、デメリットを十分理解したうえで、自分でそれを選んでいるのなら、いっこうにかまわないのです。でも、もし、自分でも気づかないうちに、ウェンディ的生き方をしてしまっているにすぎないのだとしたら……不安から逃れることはできません。

そして、たいていの場合、私たちは、よほど自覚的に生きていないと、知らないうちにウェンディへの道を歩んでしまうのです。そうなってしまいがちな環境が、現に存在するからです。

ウェンディな女性が世の中に多いわけは、大きく分けて三つあると思います。

わけ１　家にも学校にも職場にも、インディになる方法を教えてくれる場所がなかった。

わけ２　身の回りに、具体的な目標になるようなインディがいなかった。

わけ３　これまで、インディにならなくてもいいように甘やかされてきた。

これらについて、もう少し詳しく見ていきましょう。

ウェンディが多いわけ1

インディになる方法を教えてくれる場所がなかった

＊実は女性には自立してほしくないのが社会の本音？

まずは強烈な事実からいきましょう。**この社会では、女性がウェンディであるほうが好ましいと思う人が男女を問わず、たくさんいたのです。あるいは、今でも、たくさんいます。**だからこそ、知らず知らずのうち、多くの女性はウェンディとして、躾けられてきました。

ここでちょっと、一般的な家庭や一般的な会社を想像してみてください。

そう、どんな集団でも、あまり楽しくなくて、みながやりたくない仕事というのは存在します。たとえば、家庭なら、毎日毎日出てくる、洗濯物や皿洗い、炊事、ゴミの片付け、掃除など。ある専門家は、このような日々の家事を「家庭での産廃処理」

と呼びました。

同様に、会社にも、山のような書類整理の仕事など、産廃処理に近いような仕事がけっこうあります。仮に、たくさんの女性がインディになってしまって、このような仕事をやることを嫌がったらどうなるでしょうか？

そうなんです。**女性は自立したほうがいいと言いつつも、実際には自立してほしくないというのが、社会の本音**だったりします。そして、このジレンマが、家庭にも、社会にも存在します。

結果として、女性の考え方や感じ方の中に、このような産廃処理を嫌がらずに実行する女性がすばらしい、補助職として他人に役立つことが大切だ、という価値観が、知らず知らずのうちに刷り込まれていきます。

この刷り込みを行うためのもっとも効果的な方法が、「女性にとっての幸せは、ウェンディとなって他者に尽くすこと」ということだったわけです。

そういう視点で見ますと、家や学校でこれまで女性に送られてきたメッセージに納得がいきませんか?

家庭では、陰に陽に結婚を強要されますし、会社では、なんだかんだいって、仕組みは男性を中心にできています。

学校は、知識を教えてくれても、生き方は教えてくれません。

一歩街に出れば、流行している歌の歌詞、女性誌やビジネス誌、転職雑誌の特集、**どれもウェンディ的な生き方を美化し、促すものばかり**です。

*ウェンディであり続けることのリスク

ところが、幸か不幸か、この流れが、少し変わってきています。

学校教育の現場では、これまで区別されていた家庭科と技術の時間が一緒になったり、出席名簿が男女別だったものが、混合名簿になってきたりしています。会社では、一般職と補助職の区別をなくしたり、女性管理職をあわてて増やそうとしたりしています。

社会全体が伸びているうちは、ウェンディ的な生き方でも、成長している会社や夫の補助者として、十分に活躍の機会がありました。会社や夫の側から言えば、補助的な仕事をする女性を十分に養うことができました。

しかし、そうはいかなくなってきたのです。社会全体において、補助的な役割が少なくなってきているのです。

世の中は変わりつつあります。ウェンディの居場所は、少しずつ狭くなってきています。

その一方で、国も、政治家も、会社も、経営者も、上司も、新たなジレンマに陥っています。これまでウェンディとして育ててしまった女性を、どうやってインディにすればいいのか？　そのノウハウがないために非常に苦労しています。

あなたは今、この流れの中に、立たされているのです。

ウェンディが多いわけ2

身の回りに、具体的な目標になるようなインディがいなかった

これまでウェンディを必要としていた社会が、今やウェンディを養いきれなくなって、あわててインディに変えようとしている、そう、**インディになりたいウェンディにとっては今、追い風が吹いているの**です。

しかし、いざ、インディになろうとして周りを見回してみても、モデルになるような女性がなかなかいません。これまで女性で活躍してきた人たちは、次の二つの類型しかいないと言っても過言ではありません。

類型1　男勝り、バリキャリタイプ
たとえば、土井たか子さん、森山真弓元官房長官など

類型2　女性であることを売りにしてきた、美人タイプ
たとえば、さまざまな女性タレント、美人作家、美人弁護士、美人○○など

そうなんです。極端な話、これまで活躍してきた女性と言えば、家庭の仕事を最小限に抑えてバリバリと男のように働くか、あるいは、割り切って、女性であるということを全面的に売りにして活躍するか、その二種類の生き方しかなかった。少なくとも、私たちの目につく範囲では、それしかありませんでした。

しかし、ここで私たちの目指すインディは、そのどちらでもありません。女性が、こういう人になりたい、そしてこういう人ならなれる、その二つを満たすことが大事です。つまり、**インディとは、女性であることを売りにするわけでもなく、かといって男性と完全に同化して働くわけでもなく、まさしく第三の道を行く**わけです。

残念ながら、この第三の道であるインディの歴史は今始まったばかりです。だからこそ、あなたは、あなたが属するグループで、初めてのインディかもしれません。でも、バリキャリでも女性タレントでもない生き方をしてみたいな、と少しでも思うあなたなら、決して難しいことではありません。

これまで、インディにならなくてもいいように甘やかされてきた

わけ1とわけ2では、ウェンディをインディにすることを妨げる、周りの環境について説明をしてきました。しかし、もう一つ、自分自身の中にある障害もあって、これが実は非常に大きかったりする。これが、「ウェンディが多いわけ3」です。

その障害とは、私たちの中にある「甘え」です。

私たち女性を取り巻く環境は、私たちをウェンディとして育てがちです。その中には、知らず知らずのうちに、女性自身の中に「甘え」を植え付けてしまう、ということも含まれます。そうやって、私たちをウェンディとして、他のものに依存して生きるよう仕向けてきたのです。

しかし、たとえ、それが仕向けられたものであったとしても、ずっと甘えたままで、他のものに依存していくかどうかを決めるのは、私たち一人一人です。

ウェンディがインディになるためには、この、自分の中にある「甘え」と決別しなければなりません。

次の二つが、ウェンディに多い「甘え」です。

甘え1　何かに依存して現実から目を背ける「甘え」
甘え2　責任や決断を避ける「甘え」

最初の甘えは、何かに依存することで、自立の必要性を自ら感じなくする、という甘えです。具体的には、たばこ、お酒、ファッション、化粧品、男性関係、セックスなどに逃げることを指します。

こういったものにどっぷりつかっていれば、本当に向き合わなければならない真の問題から目を背け、自立の必要性を先送りにできるというわけです。コンビニにある本棚の女性誌の特集を思い出してください。すべての特集ではありませんが、多くの特集は、女性がファッションや化粧品、そして男性関係に興味を向けることで、幸せになれると説いています。

しかし実際には、**ふつうの男性に自分の幸せを依存するような状態では、今の社会では経済的に不安定だし、離婚や出産の自由さえなくなってきています。**

でも、その事実に目を向けずに、より自分磨きをすれば、よりよい男性と結婚できると信じ、ますますファッションのような自分磨きに力を注いで、いい男との結婚を宝くじのように夢見る……あまり効率のよい考え方とは言えないでしょう？

もう一つの甘えは、自己責任を取らない甘え、つまり、自分に降りかかるリスクや決断をなるべく避けようとするものです。具体的には、会社ではなるべく責任ある仕事をしないようにする、自分で何か決断することを避けようとする、社会人になっても実家から出ない、結婚後も実家からの援助に頼るなど、挙げるときりがありません。

この二つ目の甘えは当然、男性にもあります。しかし、**男性と女性の大きな違いは、ふつうの男性はこのような甘えが二十代前半までしか許されないのに対し、女性は、下手をすると死ぬまで許されてしまう**ということにあります。

でも、正確に言えば、「許されてしまう」ではなく、「許されてきた」でしょう。すでにそのような「甘え」が許される状況ではなくなってきているのですから。

では、こういった甘えから抜け出すには、何をすればいいのでしょうか。というわけで、たいへんお待たせしましたが、それでは、次の章から、インディになるための具体的なノウハウをお話ししましょう。

この章のまとめ

★私たちは、ふつうにしていると、ウェンディになりがちです。それには、次の三つの理由があります。

わけ1　家でも学校でも職場でも、
インディになる方法を教えてくれる場所がなかった。

この社会では、女性がウェンディであるほうが好ましいと思う人が男女を問わず、たくさんいたのです。本音のところでは、今でも、たくさんいます。社会的にも、職場にも、家庭にも、補助的な仕事を行う人が常に必要だからです。

わけ2　身の回りに、具体的な目標になるようなインディがいなかった。

これまでの自立した女性たちの多くは、男性と完全に同化して働くバリキャリタイプか、美人〇〇といった、女性であることを売りにするタイプの二つのタイプしかありませんでした。

わけ3　これまで、インディにならなくてもいいように甘やかされてきた。

甘え1　何かに依存して現実から目を背ける「甘え」
甘え2　責任や決断を避ける「甘え」

この二つ目の甘えは当然、男性にもあります。しかし、ふつうの男性はこのような甘えが二十代前半までしか許されないのに対し、女性は、下手をすると死ぬまで許されてしまう。それが問題なのです。

コラム 2

幸福の経済学

大阪大学の筒井義郎教授は、「幸福の経済学」という研究を日米でアンケート調査によって重ね、さまざまな場で発表しています。

これは、日本及びアメリカの男女が、どのようなことで幸せを感じ、それが性別や年代の差でどう違っているのかを、アンケート調査により数値化して表したものです。

このうち、インディのコンセプトに関係がありそうな調査結果を一部紹介します。

・日米とも、収入が高い人ほど幸福
・日米とも、喫煙の習慣のない人のほうが幸福
・日米とも、他人に優しい人は幸福
・日本では、加齢をするほど不幸になり、アメリカでは、加齢をするほど幸福

・日本では、生活時間の中で、もっとも幸福なのはセックスのとき、もっとも不幸なのは仕事・通勤のとき
・日本では、配偶者よりも友人といたほうが幸せと答える人が多い

（出所：「幸福の経済学」大阪大学筒井義郎教授 二〇〇五年十一月発表資料）

どうでしょう。本書で提唱しているインディを実践すると、より幸福に近づける感じがしませんか？

十分な収入を得て、喫煙などへの依存心をなくし、よいパートナーを得て、よいセックスを行う。そして、じょうぶな心で他人に優しく接することができるようにする……そんなことで、きっと、もっともっと幸せな時間が増えるのではないかと思います。

第３章　じょうぶな心で土台を作ろう

じょうぶな心を作る四つの心

さあ、いよいよこれから、インディになりたいウェンディに、具体的な方法をお伝えしていきます。この方法は、私が、自分の経験や、主宰するサイト『ムギ畑』でのいろいろな女性の悩みの相談を通じて培ってきた、実践的なノウハウです。

もちろん、万能薬ではありませんが、実際の経験から生まれてきたものですので、きっとみなさまのお役に立てることがあると思います。

まず、この章ではインディになるためのステップ1として、「じょうぶな心」を提案します。

インディには、「じょうぶな心」が必要です。じょうぶな心があると、悪いことにめげることなく、なぜか自然と物事がうまく進むようになるからです。

よく、心の持ち方について、「私はそんなにポジティブに考えられない」とか、「私は意志が弱いから」ということを言ってしまう女性もいますが、これも、実はすべて、ちょっとした考え方のコツを知って、小さな訓練の積み重ねをすることで、解決していくと考えています。

では、じょうぶな心とは何か、というと、それは、次の四つの心を兼ね備えた状態です。

1　自分の想いで環境を作る

2　周りと調和する

3　すべてをゼロイチで考えない

4　がんばりすぎない

この四つの心を手に入れると、不思議なことに、自然とあなたに対する周りの対応が変わっていって、あなたのことをどんどん助けてくれるようになります。

よく、端から見ますと、「なんであの人ばかりえこひいきされるのかしら」と思うような人がいませんか？　その人が苦労していると、みんなでよってたかって助け、心配してくれる。何かできると心から祝い、失敗しても、温かく見守ってもらえる、そんな感じの人！

四つの心を手に入れると、びっくりすることに、自分がその「えこひいきをされる人」の側に立つことができるようになります。それも、自然に、です。

このことは、助けてもらう側に立つ習慣がついてしまうと、とても自然で簡単なのですが、残念ながら、どうしたらそうなれるのか、なかなか体系立って教えてもらえる機会はありません。

しかし、身の回りに、なんかこの人、得をしているよなぁ、と思う人がいたら、そしてこの人と一緒にいるとなんとなく気持ちがいいなと思う人がいたら、その人はきっと、この四つの心を身につけているのです。

この現象を、私は**「相手に与えたよいことは、将来利子が付いて返ってくるという**

法則」からきていると思っています。

四つの心があると、考え方や姿勢が前向きになり、他人に対してよいものを与えることができるようになるため、その分、他人がこちらに対して、そのお礼に、いろいろと利子を付けて返してくれるようになるからではないかと考えます。

それでは、順番に、この四つの心を、より具体的に説明していきましょう。

じょうぶな心1

自分の想いで環境を作る

＊あなたは思っている「それ」になる

「じょうぶな心」は、「環境は自分の想いが作る」ということを知ることから始まります。つまり、**「自分が思っていることが現実になってしまう」**ということ。これは、これから説明する他の三つの心を含め、「じょうぶな心」すべての大原則になります。

昔、ドラえもんの漫画で「そのうそほんと」という道具がありました。鳥のくちばしのような道具で、そのくちばしをつけると、どんなうそをついても、そのうそが本当になってしまう、というものです。しかし、実は、このようなくちばしは必要なくて、自分が口に出していること、あるいは思っていることは、どんどん現実のものとなってしまいます。いいことも悪いことも、です。

たとえば、あなたが「自分はインディになれない」と思っているとすると、やはり、絶対にインディにはなれません。また、あなたが、自分が不幸なのは周りのせいだ、と考えているとすると、決してあなたの環境は変わりません。

＊過去はいくらでも、よいものに変えられる！

漫画家のくらたまさんには、インディのコンセプトを作るにあたって、いろいろ助けていただきましたが、初めて仕事で会ったとき、くらたまさんが言ったことで印象深いひと言がありました。それは、**「過去はいくらでも、よいものに変えることができる」**という言葉です。

もちろん過去に起こった事実そのものは変えられません。でも、それをどのように「思う」かは、あなた次第です。

同じ過去を、不満や後悔の対象とすることもできれば、

１「その過去から学ぶことによって、将来をよりよくする」ことも、

２「その過去があるからこそ、今の自分につながっている」と肯定的にとらえること

もできます。

そして、**過去をどのようなものにするかが、未来を決定する**のです。

なぜなら、**想いや言葉には魂が宿る**からです。自分で自分のことを「私ってだめなの」と口に出して言ってしまうとしたら、そのような将来を自分で作ってしまっているることになるのです。「私はこのままでいいの」と言うとしたら、自分で自分の限界を作ってしまっていることになるのです。

さらに、そうしておきながら、周りの人がうまくやっていることをうらやんだり、自分がうまくいかないのを周りのせいにするのは、自分で自分の可能性を否定してしまっているようなものです。

＊記憶が潜在意識を動かし、私たちの考え方や毎日の行動を決定する

よく、手帳に目標を書いて毎日それを眺めているうちに、それが実現するという話を聞きます。どうしてそんなことが可能なのでしょうか？

この仕組みを解くには、「潜在意識」という言葉が鍵になります。

私たちの行動は「顕在意識」、つまり意識して行っている行動と、「潜在意識」、つまり無意識から行っている行動から成ります。

たとえば、今、この本を読んでいるあなたが、どうやってこの本を右手で握ろうかとか、どうやってページをめくろうか、どうやって目を動かそうかなどと意識することはまったくないと思います。それでも、本を持ってページをめくり、視線を動かしている。これが、潜在意識の役割です。

ふだん、顕在意識がコントロールするエリアは、すべての行動のだいたい三パーセントから五パーセントで、残りの九十五〜九十七パーセントは潜在意識がコントロールしていると言われています。

このように、常日頃、私たちの行動の多くは潜在意識がつかさどっていて、顕在意識がコントロールできることなど、とても少ないのです。

「頭でわかっても身体がついていかない」というのは、頭が顕在意識、身体は潜在意

識がコントロールしているからこそ、起こることです。

＊身体全体で記憶する

また、もう一つ、びっくりする話があります。まだ科学的には完全には検証されていない仮説の段階のものですが、**記憶は脳ではなく、身体全体で行われている**、という学説が出てきているのです。

この学説が出てきた背景には、最近、臓器移植が盛んになってきたということがあります。臓器移植によって、元の臓器の持ち主の記憶や好み、嗜好が移植を受けた人に移る、ということが複数回、観察されるようになってきたのです。

このことから推測すると、**ふだん、私たちが発する一つ一つの言葉や考え方が、少しずつ私たちの身体に蓄積されていき、それが私たちの記憶となって潜在意識を動かし、現実の行動や考え方に影響を与えている、**ということになります。

こうして、私たちのふだんの考え方や口癖が、私たちの日々の行動につながっていき、それが知らず知らずのうちに、私たちの態度や表情、会話に表れる、つまりは、自分の想いが現実になってしまうというわけなのです。

＊インディになったつもりでやってみよう！

ですから、もし、これからインディになろうと思うのであれば、まずは、自分がインディになった姿を心から思い描いてみることです。そして、**すでにインディになっているつもりで、インディとして、周囲を見、行動してみる**のです。

次の三つのことをしてみるのがよいでしょう。

その1　言い訳をやめる

これから、いろいろなことを明日からやってみることをご提案していきますが、そのとき、明日からやってみることに言い訳をして、「明日は忙しいから明後日からやろう」と考えるのを、まず、やめることです。

あるいは、たばこをやめられない言い訳に「ストレス解消になるから」と考えるなど、自分に不都合なことを行うことに対して、言い訳をしながら先延ばしするのもやめてください。

その2　なぜ自分ばかりが損をするのか、という気持ちを捨てる

みんな、自分が公正に扱われたいと思っています。たとえば、券売機やコンビニのレジの並び方一つとっても、自分の列がちょっと遅れたりすると腹が立ちます。これは社会や会社でも同様で、自分が損をすると腹が立つわけです。

そして、少しでも自分が不利になると思われることがあると、過剰に反応してしまう人もいます。特に女性に多いようです。

しかし、世の中の仕組みをすべて公正にすることはできません。また、すべて公正にしようと思って、列の並び方や仕事の分担の仕方、仕事の成績のつけ方などをがん

じがらめに調整すると、その仕組みを作ること自体にものすごく大きなコストがかかってしまいます。

世の中がスムーズに進むためには、ある程度、公正さが犠牲になってしまうこともあるのだという割り切りも、ときには必要です。

さらに、怖いことですが、自分の想いが自分の環境を作るという法則に従うと、**自分ばかりが損をしていると思っていると、本当に自分ばかりが損をしてしまいます。**

というのも、あなたの潜在意識が知らず知らずのうちに、自分が損をするように、損をするように、あなたを動かしてしまうからです。列に並ぶときにも、自分では早いところについているつもりが、なぜか、わざわざ遅く進む列に並んでいたりするのです。

損することを避けようとするのではなく、もっとゆったり構えて、自分にできることはなんでもやってみよう、という考え方に変える。結局はそれが、自分にいいことが起こるいちばんの近道です。

その3　目標を持つ

自分の想いが自分の環境を作るのですから、自分の想いのゴール、すなわち目標を持つことをお勧めします。

目標といっても、一つ一つはささいなことでかまいません。たとえば、毎日一万歩以上歩く、毎日二十分間英会話の練習を続ける、毎日運動する、あるいは一ヵ月で二万円貯める、年内に海外旅行に行くなど。

できれば、自分の何十年後かの長期の目標、五年から十年の中期の目標、今年の目標、今月の目標、今週の目標、今日の目標など、順番にたどって設定する目標を持ちたいところですが、**たとえ日々のささいなことでも、目標を持つのと持たないのとでは雲泥の差です。**

自分の想いがゴールを達成する、その想いの力の強さを実感できれば、それだけでも十分に、あなたの将来を変える力になります。

このように、

「言い訳をやめる」

「自分ばかりが損をするという気持ちを捨てる」

「目標を持つ」

――この三つのことを実行するだけで、自分の想いが自分の環境を作るということを体感できるでしょう。


それを体感すれば、「じょうぶな心」の重要な、最初の一歩を勝ち取ったことになります。

じょうぶな心2

周りと調和する

インディを目指すあなたに必要な「じょうぶな心」の二つ目は、「周りとの調和により、周りの人たちのよい気持ちや力を引っ張り出し、互いに助け合える能力」です。実際、インディの条件である「六百万円以上の収入」＋「よいパートナー」＋「年をとるほどすてきになる」というイメージを実現するうえで、自分一人でできることはほんの少しです。**周りの人の力がどうしても必要**です。

そのためには、日頃、自分自身がいかに周りと調和していくかが重要なのです。

＊周りと調和する心を養う二つの約束

では、具体的には、どのようにしたら、周りと調和する心を養うことができるのでしょうか。このために、最終的に出したのは、「こざっぱりとした服装・髪型と笑顔を忘れない」「アサーティブに振る舞う」、この二つです。

その１　こざっぱりとした服装・髪型と笑顔を忘れない

世の中で、目立つ女性や活躍している女性、あるいは他の人よりもいつも得をしているように見える女性は、ものすごい美人ではないけれども、かわいらしい、あるいはこざっぱりとした印象の人が多いと思いませんか？

これは、大事な秘密なのですが、男女を問わず、この人を助けたいなと思う気持ちの要素として、会った瞬間の直感が大きく、その**「この人を大事にしたいな」という直感を相手に持ってもらうには、やはり、容姿がある一定以上の水準であるというのは、とても得**なのです。

パフィーのアルバムの一つに「とくするからだ」という曲が収められていますが、まさしくその曲で言っている「同じくらいの実力の人であれば、容姿のいいほうが雇われる」というのは、一つ一つの細かい事柄について真実であり、それが積もり積もって、容姿の差は、大きな差となっていくのです。

こざっぱりとしていて笑顔であるということは、前項で説明した「身体の中に蓄積されている相手の潜在意識」に、「この人は好ましくていい人だ」というメッセージを、感情的、かつ直感的に訴えます。

その結果、**相手が、潜在意識の中で、その人を好ましいと判断すると、顕在化された行動の中で、便宜を図ってくれたり、大事に扱ってくれるようになる**のです。

ここで、私はブスだから、デブだからと、引いてしまう人もいるかもしれませんが、そんな必要はありません。**女性である限り、髪型と服装にある程度の気を遣って、スタイルを整えれば、ちょっとやそっとではブスに見えません**（断言！）。

まずは、こざっぱりとした髪型にして、姿勢をよくして、服装にちょっと気を遣ってみましょう。もしセンスに自信がなければ、美容院とかブティックで相談してみてもいいと思います。

大事なのは、お金を使うことではなく、自分がきれいになるのを信じることです！

また、顔については、美醜ではなく、楽しそうか楽しそうでないか、ということが大きな違いです。笑顔の人に対して、「この人ブスだなぁ」と思う人はまずいないはずです。

常に笑顔でいるだけで、本当に、年収が上がっていきます。年収が上がる前に、妙に、周りの人があなたに親切になってくるはずです。

私自身の経験から保証します！　だまされたと思って、ぜひ実行してください。

その２　「アサーティブ」に振る舞う

アサーティブ（assertive）という、日本人にはやや聞き慣れない概念の英語があります。これは、日本語にすると「過度に攻撃的にならず、かといって防御的にもならず、うまく自分を表現すること」といったことでしょうか。

たとえば、上司から、予定があるにもかかわらず、急な残業を命じられたとしましょう。防御的な人は、心の中で腹を立てながらも、「わかりました」と言って迎合します。攻撃的な人は、「今日は予定があるので無理です」と切り口上で答えて、終わりにするかもしれません。

しかし、ここで、アサーティブな人は、次のようなアプローチをします。

なぜ、その残業が今日中に必要なのかを尋ねます。その目的を理解することで、たとえば次のような代替案を出します。

・別の資料を用意する
・翌日の朝に仕上げる
・別の人に援助を頼む、など

なぜなら、上司の仕事も大事ですが、自分の予定も大事だからです。自分を大事にするためにも、相手を大事にするためにも、しっかりとした主張をして、長期的な関係を健全に保とうとするのです。


このアサーティブなあり方については、欧米では小さい頃から訓練されるのですが、残念ながら日本では、大人になっても、そういうことを教えてもらう機会はほとんどありません。その結果、なかなかうまくできないことが多いのです。

防御的に振る舞った人は、今日はいいかもしれませんが、鬱々と不満がたまっていきます。攻撃的に振る舞った人は、次からの仕事にしこりを残すでしょう。アサーティブに振る舞った人だけが、その上司との長い関係を築くことができます。

アサーティブというのは、自分も相手も大事にする技術だと考えてください。

こういった、一見他人のため、でも、実は自分のため、互いのため、みたいな技術は、身につけると、とても心が楽になります。なぜなら、win-win の関係、つまり、互いに得なので、長続きするためです。


ここで注意していただきたいのは、**周りと調和する、ということは、決して迎合することではない**、ということです。

あなたにも、過度に相手に迎合し、ついついお世辞を言ってしまうことがあるかもしれません。しかし、それは自分を大事にすることにならないので、アサーティブな対応とは言えません。

＊アサーティブなあり方を学ぶ機会は男女均等ではなかった

ところが、残念ながら、女性と男性では、アサーティブについて学ぶ機会は均等ではないようです。

男性ですと、こうした上手な調和の仕方を、学生時代のクラブ活動やサークル活動、そして社会人になったときに、先輩から自然と学ぶことができます。

チームで物事を決めていくときに、初めはいろいろとバラバラな意見が出たとしても、お互いに言うべきところは言い、譲るべきところは譲って、うまくよい結論に結びつけていく、ということができていくようです。

ところが、女性の場合は、まずグループで物事を決めていく、という経験自体が少ないうえに、グループで意見が分かれると、それではそれぞれ別々に、ということになりがちです。決してけんか別れしてそうなるのではなく、円満に気軽にできてしまうようなのです。

でも、そういう論理が通じるのは学生時代までです。社会人になると、スムーズに意思決定に参加できるようになる必要があります。

女性は学生時代の経験不足からハンデがある場合が多いうえ、さらに、女性が過度に攻撃的でも、過度に防御的でも、男性の上司がそれを矯正してくれることはめった

にありません。彼女たちをどうやってアサーティブにすればいいのか、扱いがわからず、あきらめてしまうのです。

では、女性同士ならいいのかというと、これがまた、よい女性の先輩に巡り合えるチャンスは非常に少ない。こうして、女性たちは、攻撃的、あるいは防御的なままに、社会人の経験を重ねていってしまいがちだったのです。

しかし、これは、自分で意識していくと同時に、周りでよい自己主張をしている人の言動を学んでいくだけでも、かなりいい感じに学習することができます。

誰も教えてくれないなら、自分で学んでいくだけです！

こざっぱりとした姿で笑顔を忘れずに、アサーティブに振る舞う――この二つのことを実行してください。

そうすると、周りの人との間に、自分も生き、他人も生きる、というよい関係が自然に生まれてきます。この上昇気流への乗り方を学ぶこと、それがインディになるうえで非常に重要な鍵となります。

じょうぶな心3

すべてをゼロイチで考えない

＊ゼロイチ思考の功罪

ウェンディの一つの傾向として、なんでもゼロイチで考えてしまうことがあるように思います。ゼロイチとは、物事をいつも、いいこと・悪いこと、嫌なこと・好ましいこと、好きな人・嫌いな人、など両極端に分けてしまうことを指します。

たとえば、仕事で自分が少しでも納得できないことがあると、その仕事全体をする気になれないとか、あるいはつきあっている男性が、ちょっとでも嫌なことを言うと、その人全体が嫌いになってしまう、逆に少しでもいいところがあると、何も見えなくなってどんどんつきあいを深めていってしまうような傾向です。

しかし、物事には必ず裏表があります。あなたが好ましいと思う恋人のいいところは、実は必ず、あなたが気になる悪いところとセットになっているのです。

たとえば、とてもまめで気配りをするよい男性だと思っていたら、反面、非常に支配力が強く嫉妬深い男性だった、ということもあるでしょう。あなたのことを強く思っているからこそ、気配りもあり、反面、嫉妬深かったりもするのです。

ゼロイチで考えることが、すべての場面で必ずしも悪いことだとは思いませんが、ゼロイチ志向で物事を考えていくと、心の疲労が激しくなります。これは事実です。少し障害が出てくるだけで、すごく自分が不幸な気になってしまいますし、逆によいときには必要以上に舞い上がってしまって、なかなか健全な心の状態を保つことができなくなってしまいがちだからです。

＊セレンディピティーを活用しよう

インディが気づいていてウェンディが気づいていない一つの秘密に、セレンディピティーの考え方があります。

セレンディピティーを広辞苑で引くと、「(お伽話『セレンディップ（セイロン）の三王子』の主人公が持っていたところから) **思わぬものを偶然に発見する能力、幸運を**

招き寄せる力」とあります。

この言葉は十六世紀の中頃に、イギリスのホレース・ウォルポールという作家が、セイロンの三王子が苦労をしながらも、その苦労が逆に幸運につながっていくお伽話を聞いて作った造語です。

自分が嫌だと思うことや、一見損になりそうなことを避けてばかりいると、実はその後ろにある幸運も見逃してしまう、ということがあります。

また、今とても不幸だと思うことがあっても、実はそれが幸運につながると思っていると、不幸なことがあっても、上手にその不幸を乗り切ることができます。

私生活や仕事で失敗したとしても、その失敗から学んでいければいいのです。

人間の学習方法の特徴として、成功体験から学んだことよりも、失敗体験から学んだことのほうが、より応用範囲が広い、ということがあるようです。

なぜなら、**成功体験というのはそのときに成功した理由が、自分が考えていることとはぜんぜん違うところにあり、同じ方法をとっても成功するとは限らないのに対し、**

失敗体験の場合はより再現性があり、同じことを繰り返さないように、より慎重に気を配ることができるようになるからです。

うまくいっている女性を見ると、みんな、本当によく失敗から学んできている、あるいは、学べるからこそ、失敗を恐れずにどんどんと新しいことにチャレンジしている、という特徴があります。嫌なことがあったとしても、それはいいことにつながるのだからと、くよくよせずに、新しいことを考えていきたいものです。

どんなに好きな人でも嫌なところはあるし、逆にすばらしいと思っていても、その状態がピークで、あとはよくなくなる、ということだってある。物事には二面性があるのだ、ということがあらかじめわかっていれば、いろいろなことに、今よりもっと柔軟に対処できるはずだとは思いませんか？

というわけで、**よいことがあっても必要以上に舞い上がらず、かといって悪いことがあっても、必要以上に落ち込まない、すべてをゼロイチで考えない、しなやかな弾力性**をインディな女性のじょうぶな心の三番目の特徴として挙げておきます。

じょうぶな心4

がんばりすぎない

よくあるウェンディの嘆きの一つとして、「なんで私はこんなにがんばっているのに報われないの!?」というものがあります。会社ではせっせとみんながやりたがらない下請け仕事を手伝い、私生活ではファッションの研究と新しい化粧法に励み、合コンにもしっかりと顔を出す。それなのに、なぜ?

答えは簡単です。残酷なようですが、「がんばりすぎているから」です。

＊がんばることなら、誰でもできる

「がんばる」というのは、実は、難しいようで簡単なことです。

なぜなら、がんばる、というのは、場合によっては、考えることをやめてしまって、与えられた課題に向かって盲目的に邁進すること、と言い換えられるような場合もたくさんあるからです。

たとえば、あなたには、毎日毎日、どうしても残業しないと終わらない仕事があるとしましょう。人もどんどん減っているので、ますます仕事量が増える。そのときに、よし、がんばって、どんどん仕事の処理速度を上げて、これまで以上にがんばろう、と思う。これが「がんばる」ということです。

しかし、そうすると、ますます与えられる仕事が増えて、残業量が増えて、最後は燃え尽き症候群のように、身体を壊してしまう、ということになりがちです。

がんばる前に、まずは、なぜこんなに仕事があるのか、仕事そのものを減らせないのか、あるいはその仕事に必要な人員が十分に与えられているのか、仕事のやり方に工夫はできないのか、などを冷静に見ていくことで、単に一所懸命に「がんばる」ということを避けられることもあるのです。

むしろ、**本当にがんばらなければいけないのは、なぜこんなにがんばらないといけないのか、という現実を見つめて、その原因が何なのかを把握すること**です。その原因の追究をしないで、ますますがんばってしまっても、ただただ問題が先送りされ、悪循環に陥っていくだけです。

がんばればがんばるほど、これまでがんばったことが惜しくなってしまって、ますます、今の枠組みでがんばってしまうことになりますが、そもそも、がんばりすぎているること自体に対して、あれ、何かおかしい、と気づかなければならないのです。

＊客観的な視点を持つ

がんばることのもう一つの弊害は、がんばっていると、がんばっている自分に酔ってしまって、客観的な視点を失ってしまいがちになることです。**がんばっているというのは、あくまで自分が主観的にがんばっている、ということであって、客観的に成果が出ているかどうかとはまったく別の話**だからです。

ちょっと自分を他人だと思って観察してみてください。ものすごーーーくがんばっていて、残業も深夜までやって、ファッションも最新のもので固めて、でも、なかなか出世できないとか、ＢＦができないとか言って嘆いているその人を見て、どう思いますか？

「そんなに残業をしなくてすむように業務の仕組みを見直したら？」とか、「ファッションも、自分に合ったものを選んで、コロコロと変えなくてもいいんじゃない？」とか、「もっと健康的な生活をしなくちゃ」とか、そんなことを言いたくなりませんか？

そうなんです。みんな、他人のことはよくわかりますが、自分のことになると、ついつい、冷静な視点を見失いがちです。もし、自分ががんばりすぎていると思ったら、なぜがんばりすぎているのか、ちょっと立ち止まって、考えてみてください。

ただし！　だからといって、**必要なときにはちゃんと目標を決めて、しっかりとがんばる、ということももちろん大事です。がんばることを、「私がこんなにがんばっているのにうまくいかないのは、周りの環境が悪いからだ」という、できないための言い訳としない**でほしいということです。それより、がんばり続けないといけない状況が何かおかしい、と思ってほしい、ということなのです。

この章のまとめ

★じょうぶな心を作るには四つの心がけが効果的です。

1　自分の想いで環境を作る

思っていることが実現する。だから、すでにインディになったつもりで考え、行動してみましょう。具体的には、次の三つのことを心がけると効果的です。

その1　言い訳をやめる。
その2　なぜ自分ばかりが損をするのか、という気持ちを捨てる。
その3　目標を持つ。

2　周りと調和する

私たちが生きていくには周りの人の力がどうしても必要です。協力を得るためには、次の二つが効果的です。

その１　こざっぱりとした服装・髪型と笑顔を忘れない。
その２　「アサーティブ」に振る舞う。

3　すべてをゼロイチで考えない

よいことがあっても必要以上に舞い上がらず、悪いことがあっても落ち込まないこと。すべてのことには両面があるのですから。

・セレンディピティー（思わぬものを偶然に発見する能力、幸運を招き寄せる力）を活用する。
・人間の学習方法の特徴として、失敗体験のほうが成功よりも応用範囲が広い。

4　がんばりすぎない

・がんばっている自分に酔いしれない。
・「がんばっている」というのを、うまくいかないことを周囲のせいにする言い訳にしない。

コラム 3

がんばりすぎないコツ——仕組みを見直そう

よくあるワーキングマザーの悩みとして、家事と仕事をどうやって両立させようかということがあります。そして、女性たちが、家事も、仕事も、百パーセント出力でがんばってしまって、身体を壊したり、場合によっては心の風邪と言われるうつ病になってしまうケース、というのを多々見てきました。

かくいう私も、二十五歳くらいまでは、家事をしない元夫に腹を立てながら、全部自分でやろうとしていました。朝五時半に起きて、一日分の家族の食事を作り、七時には出勤。そのままフルタイムで仕事をして、家に午後八時くらいに戻ってから十一時に寝るまで、それこそ座る暇もないくらい、掃除、皿洗い、ゴミ捨て、子どもの相手、麦茶の煮出しからパン焼きまでなんでもやっていました。

その頃を思うと、本当になんにも見えなくなっていたと思います。結果、仕事でもいろいろと余裕がなくて迷惑をかけましたし、「自分がこんなにがんばっているのに相手がなぜのんびりゲームなんかしているのか」とイライラしてばかりいました。

　そこで、ある日、元夫に訴えたわけです。「なぜ私ばかりが家事をしなければならないのか」。そうしたら、相手の答えが「俺だってしたくないからだ」。その時点で、完全に何かが切れました。そして、悟ったわけです。「こんな状況で、私ばかりがんばっても、何の解決にもならないんだ」と。

　そして、掃除や洗濯、アイロンがけは、週に一回、まとめて人に来てやってもらうことにしました。週に一万一千円、月に四万〜五万円のお金ですから、二十代の夫婦にとっては大金です。でも、そのおかげで、ずーーーっと毎日の気分が楽になりました。

　皿洗いは、食器洗い機を買ってきました。お風呂も二十四時間風呂を入れて、風呂掃除をしなくてすむようにしました。それ以来、私は「食器洗い機」「二十四時間風呂」「衣類乾燥機」をワーキングマザー三種の神器として広めています。

『ムギ畑』の会員アンケートによりますと、七パーセントの会員は週一回以上の家事補助を頼んでいるなど、すでに十八パーセントの会員が家事サービスを体験しており、体験していない会員も二十二パーセントのメンバーが利用を検討しています。

また、食器洗い機の保有率は五十六パーセント、衣類乾燥機の保有率は五十七パーセントと過半数に広がっています。

必要に応じてがんばることも大事ですが、私たちの時間は一日二十四時間しかないのですから、どこにその時間を配分するか計画を立てないと、「恒常的ながんばりすぎ」という病に陥ってしまうということを、インディを目指す女性は心がけるといいと思います。

ただし、がんばらなさすぎもだめです。上手にがんばって、がんばりすぎない、というううまいバランスを目指しましょう！

第４章　学び続ける力でスキルを磨こう

インディになるためのスキル

第三章では、じょうぶな心を、「想い」「笑顔」「ゼロイチで考えない」、そして「がんばりすぎない」ことの、四つの要素に分解して、その作り方をご紹介しましたが、この「じょうぶな心」がインディになるための大事な基礎、建築物の土台だとしたら、その上に、スキルという家を建てなければなりません。

＊スキルを身につけると手に入るもの

さて、スキルとは、日本語では「技術」と訳されることが多いのですが、英語の辞書を引くと、次のような定義になっています。

Proficiency, facility, or dexterity
that is acquired or developed through training or experience

日本語にしますと、「訓練や経験を使って獲得される、あるいは磨かれる、周りも認める高度な技術、心の持ち方、あるいは、身振り手振りなど」というところでしょうか。

この定義からわかるとおり、**スキルは、訓練や経験からしか得られないものを指し、しかもそれが、他人から見て明らかなもの**でなければなりません。そして、この「スキル」を武器として、インディは、社会で、お金を稼ぎ、いい男を引きつけ、人間としても成長していくのです。

たとえば、私が十五年間の社会人生活で得てきた「スキル」とは、事象を分析して、文書にする力です。具体的には、女性や生活、経済などに関わるさまざまな出来事や流れを分析し、そこにフレームワークと呼ばれる枠組みを設定し、フレームワークに沿って分解したうえで、他の人がその事象をもう一度組み立て直せるように、文章や言葉にして伝える能力、になります。

これらのスキルを生かして世の中に出して、そこからお金を得るものは、このような本の形をとっているかもしれませんし、あるいは講演かもしれません。

つまり、スキルがあることで、いろいろすばらしい人たちとの出会いに恵まれ、さらに新しいスキルをつけていくことが可能になります。

そのうえ、**よいスキルが身についてくると、心もどんどんじょうぶになっていく、**という好循環が生まれます。本物の家でしたら、一度作ってしまった基礎や建物は変わりません。しかし、インディは生き物ですから、基礎も、どんどんと強固になっていき、より大きな建物を上に置いても崩れないようになるのです。

初めは小さな家かもしれませんが、それがだんだんと大きな一軒家になり、ビルになり、最後は他人も巻き込んだ街にまで、自分の世界が広がっていきます。スキルがたくさん積み上がるほど、インディとしての活躍の場が広がっていくのです。

スキルは決して万能薬ではありませんが、どんなに心がじょうぶでも、残念ながら、心は外から見ることができませんし、履歴書にも書くことができません。でも、**スキルという形で他人にわかりやすい力を身につけていけば、仕事の幅も広がる**のです。

極端な話、今の仕事場が倒産したり、あるいは職場での地位が変わっても、独立して、インディで生きていくことができます。

＊いろいろなスキル

では、インディのスキルにはどんなものがあるでしょうか？

・専門資格（教職、看護師、医師、弁護士、税理士、公認会計士、アナリスト、司法書士、建築士など）
・語学（翻訳、通訳、英語、スペイン語、中国語など）
・ITシステム（OAインストラクター、SE、プログラマー、WEBデザイナーなど）
・美術・建築・文芸（各種デザイナー、アートディレクター、コピーライター、イラストレーター、フリーライターなど）
・芸能（歌、演奏、作曲など）
・人事（育成トレーニング、人材コンサルティングなど）
・会計・マネジメント（財務、経理、プロジェクト管理など）

もちろん、これはほんの一例です。

ちなみに、『ムギ畑』の会員のアンケート調査では、会員の六十八パーセントがなんらかの国家資格を持ち、うち、二つ以上の資格を持つ人も三十四パーセントいます。

会員の中で、子どもを二人以上産みながらも順調に元の仕事に戻っている人は、医師、システムエンジニア、コンサルタント、トレーナーなどが多いです。

現在の『ムギ畑』の運営スタッフは三十七名ですが、その仕事の内訳はＩＴ系技術者、金融系専門職、医師、企業内研究職、司書などとなっています。

＊スキルの選び方

スキルの選び方としては、

・自分が好きで
・他人よりも上手で
・十分に収入が得られる

という三つの条件を満たすものを探すことをお勧めします。

＊スキルを学び続けるための四つの力

身につけたいスキルが決まったとして、では、実生活の中で、スキルを学び続けるためには、何が必要なのでしょうか？　まとめてみると、次の四つになりました。

１　仕事の場で学び続ける力
２　仕事の場の外で学び続ける力
３　ちょっとだけ人よりも優れた力
４　お金をコントロールする力

最近は、就職も厳しくなって、ちょっとした口でも、最低三人、多いときでは六人くらいの面接官の面接を順に受けなければならなくなりました。そして、そのとき重視されるのは、その人に、どれだけ「素地としての力があるか」ということです。

では、素地としての力とは何かというと、経験も大事ですが、それ以上に重要なのが、これからの「**成長ののりしろ**」であり、その成長ののりしろを分解したのが、この四つの力になるのです。

仕事の場で学び、仕事の外で学び、何かちょっとだけ人より注目してもらえる力があって、ちゃんとお金のことを考えられる――この四つの力を身につければ、どんなに周りの状況が変わっても、必ずある一定以上の収入が得られるような仕事を見つけることができます。

＊偽物の「できる」と本物の「できる」

この四つの力があると、**再就職や独立に有利なだけでなく、現在の仕事を失職することに対する恐れが小さくなる**というメリットもあります。そうすると、職場でも下手に自分を卑下することなく、堂々と振る舞えるので、逆にチャンスが得やすくなり、出世しやすくなる、というおもしろい循環が働くのです。

さらに、自分の力がつくことで、自然と**他人に対しても余裕ができて、優しく振る舞えるようになる**ため、周りの人から慕われるようになります。そして、周りの人が、陰に陽に、いろいろと助けてくれるようになるのです。

これは、笑顔の効果と相まって、非常に大きな力となります。一日一日は小さなことでも、年月がたつと、とても大きな差になっていくのです。

あなたの周りの人を思い出してみてください。きっと、仕事ができる人ほど、態度が柔らかく、虚勢を張らず、腰も低くないですか？　そして、いい意見も悪い意見も含めて、周りから吸収しようという、柔軟な姿勢が強くないでしょうか？

逆に、ぱっと見の印象として仕事ができると思った割には、あとから「あれ、そうでもないじゃない」と思う人の場合は、意外と威張っていたり、周りにぎすぎすとした空気を漂わせていたりするのではありませんか？

どうしてかというと、それは本物ではなく、偽物の「できる」だからです。偽物だからこそ、周りに対して虚勢を張らないと、自分のプライドを保てないのです。

この四つの力を手に入れれば、たとえ、今の年収がどうであれ、少しずつ、大事な仕事を上司から任されるようになり、やがて、好ましい循環の輪が回り始めます。

自然に仕事の幅が広がり、取引先や知り合いからよい転職の誘いがかかったり、あるいは、今の職場の中で、だんだんと出世をして、自然と年収が増えていったり……。あとは、ロールプレイング・ゲームのレベルアップのようなものだと思ってください。あとは、そのコツを理解するだけです。

それでは、これから一つ一つの力について、もう少し詳しく説明していきます。

学び続ける力1

仕事の場で学び続けるメンターとコミュニティ・ラーニング

＊女性が成長できる職場を選ぶ

あなたが平日にいちばん時間を使っている場所はどこでしょうか？　言うまでもなく、「仕事をしている場所」ですね。会社勤めの方も、SOHOの方も同じ、だいたい、九〜十二時間くらいは仕事に時間を使っているはずです。

となると、**いかに仕事の場で自分のスキルを磨くか**、ということが、大事な時間を有効に使い、効率よくスキルをつけるための第一歩になります。

しかし、ここで一つ、女性特有の壁があります。多くの仕事場において、特に、名の通った大企業や建築、土木、学会といった旧い体質の業界や組織においては、日本はまだまだ男性中心にコミュニティが形成されており、そこに女性が入るのは、男性にとって、ノイズ以外の何ものでもないということです。

男性の側にとって、女性はあくまでもよそ者。ですから、女性に対して特に何かを教えてあげようという気持ちにはならないし、それどころか、**下手に女性が賢くなって、自分たちの地位を脅かしてもらっては困る**、という気持ちが、密かに、そして、根強く働いているのです。

したがって、男性社員ならふつうに受けられる先輩社員からの教え、仕事での訓練などが、残念ながら、女性には閉ざされているケースが多いようです。

その結果、教えてくれる人もなく、毎日毎日、ルーティンワークをやっていると一日が終わってしまい、今日は何を学んだのだろうと思い出しても、何もなかったりします（私の最初の頃がそうでした）。

もっとも、そのような会社や職場ばかりではありません。たとえば、小さな会社ですと、逆に学ばない女性社員を養うほどの余裕はないので、男だろうが女だろうが、できるとなると、どんどんいろいろなことが任されていきます。そこには、男女の差はあまりありません。

また、大企業でも、家庭消費財や化粧品など、より女性の感性が必要とされる企業では、女性が大事にされるようです。

そうなんです。まず、インディになりたいと思ったら、**自分が成長できる職場を、会社の名前にとらわれずに選ぶ**ということが、意外に重要なのです。

＊メンターを持つ

職場での学びを大事にしたい方には、「メンター」と「コミュニティ・ラーニング」という二つの言葉がキーワードになるでしょう。この二つを意識すると、自分にとって、どの職場でスキルがつきやすいのかわかりますし、また、今の職場での学びのスピードもぐっと速まってきます。

まずは、「メンター」というちょっと聞き慣れない言葉から。

「メンター」とは、日本語にすると「お師匠さん」というところでしょうか。『スター・

ウォーズ』のオビ＝ワン・ケノービはアナキン・スカイウォーカーとルーク・スカイウォーカーのメンターです。

通常、男性は職場で上手にメンターを見つけて、そのお師匠さんから、人間関係から職場のスキルまで、いろいろなことを学んでいきます。

ところが、女性の場合、なかなかよいメンターに巡り合えないのが現状です。女性の先輩はそもそも数が少ないし、男性の場合は、女性のメンターとなると、本人や周りからセクハラと勘違いされてしまうリスクもあり、自分からはなかなか近づきたがらないのです。

ですから、女性は、よほど運がよくないと、自然体でメンターに巡り合えることはありません。自分から積極的に、恋人探しと同じくらいの労力を使って、メンターを探していかなければならないのです。

では、具体的に何をすればいいのでしょうか？

もし、尊敬できる人がいたら、男性の先輩でも女性の先輩でも、自分からどんどん近づいていきましょう。まずは昼食をご一緒させてもらって、いろいろとざっくばらんな話をしながら、自分が今、何に困っていて、相手から何を教えてほしいのかを相談してみます。ふつう、後輩から慕われて拒否する人は少ないので、たいていみんな喜んで相談に乗ってくれると思います。

年齢や立場がすごく自分と離れた人でもいいのですが、ふつうは五年も十年もたってしまうと、昔苦労したことや学んだことをなかなか思い出せないので、できれば数年くらい先輩の人が、目線も近く、ベストなメンターになります。

また、メンターは一人である必要はなく、複数の人にメンターとしてお願いしてもかまいません。

そして、メンターから、職場の隠れた決まり事やノウハウなどを、着実に学んでいきます。キャリアについて、仕事について、職場について、困ったことや悩みがあったら、なんでもメンターに相談してみます。

メンターの人が手取り足取り仕事を教えてくれることはないでしょうが、ちょっとした仕事場でのコツ、たとえば、「営業として売る場合には、相手のニーズをこのような言葉で探るといい」とか、「○○部長はこういう報告の仕方が好きなので、報告書の文章はこのように組み立てたらいい」など、知っていると知らないとでは大違い、ということを、少しずつ先達から学んでいくことができるはずです。

こうして、紙には書いていない、でも大事なノウハウを身につけていくことができるのです。メンターとの絆が深いほど、職場生活は楽になるでしょう。

＊メンターが教えがいのある後輩になる

このようなメンターの制度を企業として正式に設けているところもありますが、そういう企業はまだまだ少ないようです。ですから、あなたのほうから、積極的にメンターを探しに、動かなければならないのです。

ただし、メンターとしてお願いするにあたっては、**あなた自身に、やる気があって、かつ、相手が時間を使っていいと思わせるだけの魅力がなければならない**ことは言うまでもありません。

そのためには、前の章で説明した「じょうぶな心」を身につけている必要があるのです。そして、あなたが成長していくことが相手にとってもうれしい、という関係になる必要があります。

また、あなたがメンターの人から受けた教えについては、ぜひ、あなた自身がメンターになることによって、後輩の人に返してあげていってください。そのことにより、あなたにもまた、いろいろな学びがあると思います。

＊女性が排除されがちなコミュニティ・ラーニング

次に、もう一つのキーワード、「コミュニティ・ラーニング」について、ご紹介しましょう。これは、わかりやすく言うと、学校で学んできた方法と同じように、仲間と一緒に、少しずつ、宿題をしたり、授業を受けたり、休み時間にいろいろ話をしながら、試行錯誤で学んでいく方法です。

これまでの経験則から、**同じくらいの力や経験を持っている仲間同士で協力し合いながら、一緒に知恵を共有していくのが、もっとも効果的な学習方法**だということがわかってきているため、学校でも、このような方法がとられてきましたし、企業も、同期というグループを作らせて、教育してきたのです。

ところが、残念ながら、このコミュニティ・ラーニングもまた、男性には自然に用意されているのに、女性には用意されていない学び方の一つなのです。

たとえば、男性同士は、よくアフター5で一緒に出かけたり、研修の夜につるんで麻雀をしていたりするものです。女性がその仲間に入っても、男性と同じようには、うち解けられない。しかし、そこで繰り広げられる何気ない雑談が、実際には日々の学びを共有し合う場であり、互いにそこから、よいノウハウを持って帰るのです。

入社時にはあまり差がなかった男女が、少しずつ仕事の実力に差がついてしまう理由の一つとして、総合職の女性社員などは孤立しがちであり、なかなか気軽な雑談から学べる機会が少ない、というデメリットがあるようです。

よく、過度のOA化や電子メールが、なぜか仕事の効率を下げるという話がありますが、それは、このようなコミュニティ・ラーニングを阻害するからだと考えられています。

＊コミュニティ・ラーニングの一員となる

このように、一人一人よりも集団で考えたほうがよい知恵が出るという考え方は、アカデミックの分野ではいろいろ研究されていまして、**「集団の知恵」**という考え方としてまとめられています。

たとえば、クラスの生徒に今の気温を当ててもらうと、その平均値のほうがなぜか、もっとも近い生徒の答えよりも近いとか、あるいは瓶いっぱいにビーンズを入れて、その個数をみんなに想像してもらうと、その平均がとても真実に近い、という現象が観察されています。

他にも、ソ連の共産主義が失敗して、アメリカの民主主義が成功したのは、優れた一部のリーダーが経済の仕組みや需要、供給をすべて上から決めるよりは、民衆が自主的に、価格を基準に自分の考え方で動いていったほうがよかったからだ、というのも「集団の知恵」の例として挙げられます。

いろいろな技術についても、一つのメーカーが定めたクローズなシステムよりは、みんなで協力し合ったオープンなシステムのほうが、より使い勝手がよくなり、早く発達していきますが、これも、集団の知恵の優位性を示す例となります。

　同様に、個人ではなく企業を作って仕事をしていくのも、集団の知恵を生かすための方法です。

　あなたが一人でがんばっても、それは仕組み的にどうしても限界があるため、集団の知恵を生かすために、あなたも、コミュニティ・ラーニングの一員にならなければならないのです。

　ただ、注意してもらいたいのが、コミュニティ・ラーニングの一員になるために、別に男性のふりをしたり、迎合したりする必要はない、ということです。男性の集団だからといって身構えずに、自然に、積極的に参加すればいいのです。

　また、もし自分が参加できる集団がなかったら、自分がリーダーとなって集団を作るくらいの心構えが必要です。

＊今の仕事の中で学ぶ

私が実際に体験した例を簡単に説明しましょう。

まだ私が二十代の頃、転職先のコンサルティング会社で、最初の一年間、本当に右も左もわからずに困っていました。もちろん、周りも使えなくて困っていたはずです。そのときに、数年先に入った先輩が、本当に、たったの三十分間、とても貴重で実用的なアドバイスをくれました。その翌日から、生産性が三倍くらいに上がるようになりました。これは、先に説明したメンターからの教えになります。

そして、すごく悔しかったのが、なぜ入ってから一年近くも、こんなことを知らなかったんだろう、ということでした。

そこで、このような実務的な話を教えてくれるトレーニングをその先輩に頼み、上司に掛け合って予算と日程を手に入れ、私と同じような新人に対し、クラス形式で丸一日、講義を行ってもらいました。他の人たちにも大好評でした。こちらがコミュニティ・ラーニングにあたります。

どちらも、仲間の中で、教え合い、助け合う、という考え方です。

もちろん、コミュニティ・ラーニングといっても、そんなに身構える必要はなく、**会議のたびにちょっと同僚と雑談をする、談話室でお茶を飲みながら、別の部署の人と気軽な意見交換をする**、そんなささいなことでいいのです。

そのときに、あなたが持ち寄る情報が魅力的であればあるほど、逆にいろいろな人があなたの話を聞きたいと思うため、互いの学びも深くなっていきます。


一日、最低でも八時間くらい、下手をしたら十二時間くらい、あなたの時間を使う職場です。まずは、ここでスキルを磨いていくのがいちばん効率的です。

いきなり英会話学校に通おうとか、外部のトレーニングを受けようとする、あるいは今の仕事では勉強できない、などと嘆く前に、**まずは、やっている仕事の中で学んでいく**、具体的な方法を身につけてみることをお勧めします。

そして、そのとき、教えてくれるのは、先輩であり、同僚です。先輩や同僚と上手にメンターやコミュニティ・ラーニングの関係を作って、職場での学びを最大限に活用してみてください。

学び続ける力2

仕事の場の外で学び続ける　英語

＊勉強そのものを目的にしない

一日のうち、長い時間を使う仕事の場での学び方はメンター、コミュニティ・ラーニングといった、人からの学びを大事にすることが鍵になります。でも、職場の時間だけでは、なかなか年収六百万円の決め手にはなりません。そこで、もうひと押しするためには、**仕事の場の外で、平日は一日一時間、休日は一日二時間を目安に、自分で学び続ける**ことをお勧めします。

平日一日一時間、土日に二時間ずつ学び続けると、一週間では九時間、一年で四百七十時間にもなります。これだけの分量の時間を、今の仕事にも応用可能な、これから挙げる三つの学習に使うと、年収が上がる確率はかなり上がります。

ここで勘違いしていただきたくないのは、勉強そのものを目的にしない、ということです。たとえば、勉強して英会話ができるようになったとしても、その英会話を仕事の場で生かせなければ意味はありません。つまり、この場合も、仕事の場の中での学びが主菜で、仕事の外での学びはその副菜になると考えるべきなのです。

仕事の外で学んだことを、上手に仕事の中に生かすことによって、いっそうスキルを上げていくという、よい循環を作ってください。

＊英語ができると、年収の相場が一・五倍に

私がお勧めする、応用性がある三つのこととは、**「英語」「読書」「ながら学習」**です。まずは、英語から。

英語がどのくらいの年収アップにつながるのでしょうか？　あまり公開されていないデータですが、イメージだけでもお伝えしますと……。

・財務経理関係の仕事で、国内法人だったら年収四百万円くらいのスキルが、英語が

できれば六百万～七百万円くらいに

・秘書やアシスタントの仕事なら、英語ができれば年収七百万円くらいが相場

・営業職なら、年収六百万円の人は英語が加われば年収一千万円くらいが相場

うそくさいと思われるかもしれませんが、本当の話なのです。だいたい、**英語ができると、年収が今の一・五倍くらいになる**と思ってください。

実際に、大阪府立大の鹿野繁樹講師がリクルートと共同で一万四千人の女性について集計したところ、英語を職場で使う女性のほうが、使わない女性よりも、約四十パーセント収入が高いという調査結果が出ています（なお、男性は十八パーセント高いだけです）。

＊どの程度の英語力ならお金になるか？

一・五倍に必要な英語の力とは、ＴＯＥＩＣでいうと、最低でも七三〇点くらい、できれば八六〇点はほしいところです。七三〇点あれば、一応業務で英語をコミュニ

ケートできるレベル、八六〇点あれば、ノン・ネイティブでは十分なレベル、と定義されています。

この七三〇点がどのくらいたいへんかというと、TOEICは九九〇点満点で、だいたい、大学卒業直後の日本人の平均が四〇〇点弱、受験者の平均点が五二〇点くらいです。

これまでは、英語ができれば有利、という程度の話でしたが、最近では逆に、英語ができないと不利、といえる状態に日本もなりつつあります。

たとえば、給料が高い仕事や外資系に就職したいと思ったときに、TOEICが高くないと、面接の時点で落とされてしまいます。また最近は、企業の管理職登用試験や海外赴任の基準として、七三〇点を基準にする会社も増えてきています。

では、英語ができると、なぜ給料が高くなるのでしょうか？

それは単純に、**もっと儲かる仕事に近くなる**からです。というのは、まず英語ができると、英語を話せる人に商品やサービスを売ることができるようになります。これまで、日本語を話せる人しか市場がなかったのが、一気に何十倍にも広がることになります。

また、**情報や商材の仕入れ先も一気に広がります。**日本で成功した人たちの多く、たとえばソフトバンクの孫社長なども、いろいろなビジネスをアメリカから持ち込んだり、商材を輸入して日本で販売したりしています。

企業にとっては、仕入れ側でも、販売側でも、英語ができる人がいるととても重宝するので、大事にします。すると、仕事場でのコミュニティ・ラーニングやメンターにも、より近づきやすくなって、相乗効果が生まれます。いいことずくめです。

＊私の英語学習法

読者の中には、「でも、帰国子女でも、英文科出身でもない私が、ＴＯＥＩＣ七三〇点なんて無理」と感じていらっしゃる方もいるかもしれません。でも、たとえば私も、新卒で入った会社で無理矢理受けさせられたＴＯＥＩＣは四二〇点でした。当時は英語の文章はまったく読めないし、ヒアリングもほとんどできなかったので、当然と言えば当然でしょう。

しかし、人間、目標があると、どうにかなるものです。その後、約二年で七三〇点、今は九〇〇点弱くらいになりました。

目標というのはここに書いているとおり、「インディになる」ということです。インディになろうと思ったら、英語が大きな武器になると、私は考えたのです。

それでは、どうやって上げたのでしょうか？　ここで、簡単に、「あなたも三カ月でＴＯＥＩＣの点数が倍になる」と言いたいところですが、実際には、格好よくもない、次のような小さな努力の積み重ねでした。

・ＮＨＫラジオの「ビジネス英会話」を毎日聴く。
・アルクの「ＴＯＥＩＣテストマラソン」をコツコツと通勤時間に欠かさずやっていく。
・英会話学校に週に二〜四回通う。
・好きな本や曲の英語のテープを聴き続ける。

私は、英語も含め、**スキルとは、スキーとか運転とかと同じ類で身体で覚えるもの**

だと思っています（記憶は頭でなく、身体でする、という仮説を思い出してください）。練習なしに、突然明日から上級者になるのはあり得ないものだと思います。

よく「一日十分聞き流せば、話せるようになる」という類の教材が多く出ていますが、多くのダイエット食品と同様、効果はほとんどないと思ったほうがいいでしょう。

もしこれがスキーだったら、「初心者のあなたも一日十分テープを聴くだけで、三カ月後には上級者コースでパラレルをできるようなります」なんていうのは絶対にあり得ないとわかるはずです。それが、英語だと信じてしまうのが、人間の弱いところです。

スキーがうまくなるには、とにかく、足腰の基礎体力をつけて、正しいフォームと体重加重の仕方をコーチから習って、あとは滑りの回数を重ねるしかないわけです。

英語もまったく同じで、

- **ボキャブラリと文法を身につけたら、**
- **例文を暗記し、**
- **正しい発音を覚えて、**

あとはひたすら、

・文章を音声で聞いて、
・テキストで読んで、
・その音声を繰り返し発声して、
・文字にして書く

しかありません。

＊とにかく早く上達したいならオーディオブックがお勧め

特に早くうまくなりたい人には、私は、

・海外のAudiobookをたくさん聴くこと
・英語ネイティブの友人を作ること

をお勧めしています。ただしこれは、学校レベルでの文法はわかっていて、一定のボキャブラリはあるというのが前提です。

海外のAudiobookというのは、英語の朗読書のことです。アメリカでは、車で動くことが多いため、英語のベストセラーやビジネス書のほとんどは、Audiobookでも同時に出版されます。

たとえば、日本でもベストセラーになった『7つの習慣』や『金持ち父さん貧乏父さん』『チーズはどこへ消えた？』など、みんな、CDの英語のAudiobookがあります。値段も千円台からありますので、気軽に購入できると思います。

同じような考え方の教材として、アルクの『ヒアリングマラソン』というコースがあります。こちらはたくさんのヒアリングをひたすら続けていくと（一年で千時間以上！）、スムーズに英語が話せるようになる、というコースです。これはまさしくその通りで、このコースをしっかりと修了することができれば、必ず効果があると思います。

問題は、人は好きなものでないと、飽きてなかなか続かないということと、教材に興味がないと勉強時間そのものを楽しめない、ということです。

その点、自分の興味がある分野のAudiobookなら、飽きがきにくいのではないかと思います。たとえば、日本語の『7つの習慣』が好きだった場合には、著者が自ら語る『7つの習慣』の英語をひたすら聴くことは、それ自体が楽しいはず。スキーをたくさん滑ることと同じです。滑ること自体を楽しみながら、知らず知らずのうちにスキーも上達するということになり、非常に効果的だと思います。
海外のAudiobookについて、より詳しいことを知りたい場合には、次に私がまとめたブログがありますので、ご参照ください。

CD、テープを聴いて勉強しよう!!
http://kazuyomugi.cocolog-nifty.com/audio_book/

＊英語ネイティブの友人を持つ

もう一つのコツは、英語ネイティブの友人を持つことです。仕事で日常的に英語を使う人もいるでしょうが、なかなか使う機会がない人も多いと思います。そんな人にお勧めなのが、「**仲のよい友人（ＢＦでも可）でネイティブでしか話せない環境を作ること**」です。

英語はコミュニケーションの道具ですから、心からコミュニケーションをとりたい、という相手がいないといけません。うまく自分の言いたいことが伝わらなかったり、こちらの発音が悪かったりして、その相手とうまくコミュニケーションがとれない、なかなかもどかしく思う、そういうことがあって初めて、「英語、がんばらなきゃ」と意欲がわきます。

また、ネイティブの友人の英語の発音を聞いたり、メールを読むことで、知らず知らずのうちにネイティブの英語が蓄積されていきますので、一方的に聴くことが中心のAudiobookよりも、さらに役に立ちます。

私は会社のトレーニングで会ったNYの友人とすごく仲良くなり、その後、電話やメールで文通を続けていました。そのときにいろいろと「あなたの英語が聞きにくいのは、発音だけではなくてテンポの問題だと思う」とか、「内容自体はとてもいいことを言っているのだから、もっと自信を持って発言をしたほうがいい」など、さまざまなアドバイスを受け、とても役立ちました。

その後、出張などで、NYや東京で会う機会があったときには、互いの家に泊まったり、観光案内をしたりしていましたが、数年ぶりに会ったときに、「英語、わかるようになったね」などと言われると、とてもうれしかったものです。

最近はインターネットも充実していますので、たとえば、**好きなコラムニストにファンメールを書く**など、ふだんネイティブと縁がないと思っている人でも、それなりに方法はあると思います。

また、もし英会話学校に通っている場合には、多くの先生は喜んで相手をしてくれると思います。

＊英語がわかると情報源が広がる

英語のいいところは、年収が上がるということだけではありません。英語がわかるようになると、これまで日本語の情報源や日本語を話す相手とのコミュニケーションに限られていたのが、突然、**ほぼ世界全体の情報やコミュニケーションに触れられる**ようになることです。

たとえば、何か興味があったキーワードを検索して、うわーーーっと英語が出てくると、これまでは、エイッと、見ないふりをしていたのが、英語が苦でなくなってくると、そのまま情報を吸収できるようになります。海外の映画も英語のまま理解できるようになるので、字幕との違いを楽しめます。

英語はなかなか上手にならないから、と敬遠している人も多いと思いますが、**いくつかのコツをつかめば、必ず上達する分野**ですので（スポーツとまったく同じです）、年収一・五倍を目指して、コツコツといろいろなことを試してみてください。

仕事の場の外で学び続ける　読書

＊資本主義では、情報はお金そのもの

次は二つ目、「読書」です。正確には、**読書そのものが目的ではなく、読書により、本・新聞・雑誌などから、職場では手に入りにくい情報を手に入れることです。**なので、読む対象は一般書籍に限らず、雑誌、新聞、ブログ、なんでもいいです。

なぜ、今さら読書が大事なのかというと、それは、**今も昔も、知っている情報の質と量が、その人の仕事の幅を左右し、チャンスを決定する**からです。**世の中に出回っている情報は、お金そのもの**だと思ってください。その情報をうまくお金につなげることが、資本主義では、すべての仕事の基本なのです。

＊読書量の目安

インディなら、少なくとも次の量ぐらいはこなしているものです。

・毎日、新聞の見出しにざっと目を通す
・書籍は一週間に〇・五冊〜一冊
・雑誌は専門分野を一カ月に一冊

よく、ミリオンセラーという言葉がありますが、逆に、ミリオンセラー以外の書籍を読む人は、本当に少数派なのです。なので、この本を手に取ったあなたも、実は少数派の一人です。

しかし、読書の習慣を手に入れてしまうと、仕事の場で「ちょっと困ったな」と思うことがあっても、実はそのほとんどについて、書籍や雑誌に、その答えなり、あるいは答えに近いヒントがある、ということがわかるようになります。

たとえば、あなたの仕事が営業だった場合、どうやって営業成績を上げるかということについては、もう数え切れないくらいの本が出ています。企画書を作りたいと思ったり、仕事のプレゼンテーションで図表を作りたいと思ったら、こちらもとてもよい本がたくさんあります。

でも、**読む人は実際には少数派**です。読む・読まないで差がつくのであれば、とりあえず読んでみましょう。インディになろうと決意した人、あるいは実際のインディの条件を満たしている人は、かなりの確率で読書をする人だと思います。

＊読む本の選択眼を養うには

読書の難点というのは、読んだ本が自分に役に立つ良書であるとは限らない、という点です。どうすれば読むべき本についての選択眼を養うことができるか、ということが課題となりますが、残念ながら、これについては、必ずしも効率的な方法はありません。読んだ本がたまたまいい本だったというよりは、**ふだん習慣的に本を読んでいると、その中で、一定確率でいい本に当たるので、なるべく継続的に数をこなしたほうがいい**、というのが正直なところです。

たとえば、私がこの本を書こうと決意した遠因には、ベティ・L・ハラガンという女性の書いた『会社の掟　知らない女性はソンしてる―ビジネス・ゲーム』という本を読んだことがありました。

この本の内容はずばり、女性が組織の中でうまく立ち回るために知らなければならないことを非常にわかりやすく解説するものでした。当時、まだ社会人になって二年目、正直、いろいろな壁にぶつかっていて、どうも周りともしっくりいっていない時期だった私にとって、この本との出会いは本当に幸運でした。

そこには、男女の育ち方の違い、実際に男性は女性をどのように見ているのか、女性が小さい頃に教えてもらえなかった考え方などが、とてもわかりやすく書いてあり、文字通り、私のその後の人生に大きな影響を与えました。

初めのうちは興味があるテーマの本、わかりやすい本を中心に読書をする、ということを習慣化していけばいいと思います。

読みたい本がいっぱいあるのに時間が足りないとなったら、**速読法を学んで**より効率的な読書をするなどして、読書の幅を広げていくこともできます。

とりあえず、だまされたと思って、**読む本の量をこれまでの倍から三倍くらい**にしてみてください。決して今のあなたと同じ状態ではなくなります。

学び続ける力2

仕事の場の外で学び続ける「ながら学習」

＊経済ニュースを聴く習慣を

仕事の場の外で学び続ける力の三つ目は、「ながら学習」です。

最初に説明した英語も、実際に机に向かって時間を取ろうと思うと、なかなか難しいものです。でも、通勤途中とか、家で家事をしているときなどに、テレビの経済ニュースや好きなAudiobookを聴くのは、さほど難しいことではないと思います。

同じように、ふだん会社でちょっと隙間時間ができたり、メールチェックなど単純作業をしているときなどに、めいっぱい、「ながら学習」を活用するのです。

英語についてはだいたい説明をしましたので、英語以外の「ながら学習」を簡単にご紹介しましょう。

まずは、とても簡単なところから。とりあえず、毎朝、**化粧や身支度をしている間に、必ずニュースをつける習慣**をつけます。最近はいろいろなオーディオ機器が発達してきましたから、たとえば、昼間や夜にやっているニュースや経済番組をＨＤＤやＤＶＤに落としておいて聴いてもいいでしょう。化粧する部屋に小さなテレビを置くことも、決して不可能ではないと思います。

ふだん、暇な時間にちょっとテレビのバラエティ番組を観たり、音楽を聴いたり、週末に映画を観ることがあると思いますが、その時間の一部でいいから、**バラエティ番組を経済番組に、音楽を Audiobook に、週末の映画をニュース番組の視聴に変えてみる**のです。

なお、ここで視聴するニュースは、ＮＨＫの朝及び夜のニュースでいいと思いますが、もし、もう少し経済に関する詳しいニュースを聴きたい、人と差をつけたいと思う場合は、

- **テレビ東京系　ワールドビジネスサテライト**
- **テレビ東京系　ニュースモーニングサテライト**

がお勧めです。いずれも経済情報が得られます。
さらに、手元にケーブルテレビが来ている方でしたら、

・CNNやBloomberg
・日経CNBC

などを聴いてみるのもおもしろいでしょう。

この「ながら学習」、すごく一所懸命やる必要はないのがポイントです。でも、英語と同じで、ニュース番組などをひたすら聞き流していますと、なんとなく、世の中で起きていることがわかるようになってきます。

自分は最新ニュースや経済に関わる仕事をしていないから関係ない、と思う人がいるかもしれません。しかし、幸か不幸か、私たちは資本主義、という仕組みの中で生きていますので、より楽しく、簡単に、そして人のためになるようにお金を稼ごうと思うと、こういうものを聴きながら、「どうすればいいのか」ということを自発的に考える習慣が、どうしても必要です。

イメージで言いますと、私たちは、資本主義、という大きな海の中に投げ出されて

いるわけです。その中で、乗る船（職場）を決めて、力を合わせて、ゴールを目指す航海をしています。その航海をしている中で、海がどのような状況になっているのか、空はどのような天候か、周りの船はどのような動向か、自分の船は正しい方向を向いているのか、などを絶えず、心の片隅でもいいので考えておく必要があるのです。

そうでないと、突然氷山とぶつかって沈んでしまったタイタニックのように、本当は予測できたはずの不運にも対応できなくなってしまうのです。

こういった話も、「ながら学習」ですから、そんなにすごく一所懸命聴く、という感じではなく、とりあえず聞き流してみてください。

勉強というと構えてしまいますが、ちょっと気になることに対してアンテナを立てておいて、あとはそれを、目とか、耳とか、そういうものから少しずつ吸収していく、そして、必要なときには思い出せるようにしておく、そのような感覚での学習をお勧めします。

学び続ける力3

ちょっとだけ人よりも優れた力「わらしべ長者理論」

＊ちょっとだけ人より優れた能力が、大きな成果を生む「わらしべ長者理論」

仕事の中ではメンターとコミュニティ・ラーニングの仕組みによって、外では英語・読書・ながら学習により、地力がついてきたと思います。ただ、これらは、いわば土壌ですから、この土壌に、一つだけ種をまいてみましょう。この種が、あなたの仕事場での花を咲かせる素になります。

種とは、ちょっとだけ人よりも優れた能力、です。いちばんわかりやすいものだと資格、でしょうか？

よく言われていますが、資格は最初の入り口にしか役に立ちません。でも、その資格があることにより、他人にわかりやすく、あなたの能力をコミュニケートできるようになるのは事実です。

年収六百万円以上を狙う資格としては、汎用的なものでしたら、英検一級、TOEIC七三〇点、簿記一級、米国公認会計士、情報処理技術者試験などがいいと思います。

資格以外なら、たとえば、「アポ取りであれば誰よりも上手です」「議事録の取り方なら誰にも負けません」「パワーポイントの資料を作らせたら、天下一品です」「職場の中で、いちばん英会話が得意です」くらいでいいのです。

要は、**仕事の場で、あなたに仕事を任せよう、というきっかけになるもの**を身につけるのです。

たとえば、私がずっと仕事を続けてくることができたのには、ITやシステムに関して人よりもちょっとだけ詳しい、ということがありました。今、金融の仕事をしていますが、そのきっかけは、二十三歳のときに金融の監査チームに組み込まれたことにあります。当時、日本の銀行の複雑な商品の監査をするために、アメリカから最新の金融の仕組みの監査チームを呼ぼうということになったときに、「あれは複雑な計算が必要だけれども、確か、勝間はパソコンや数学、システムが得意なはず」という理由で、チームに配属されたのです。

その結果、最新の金融に触れることができ、それがきっかけで、二十五歳のとき、その頃勤めていた会計事務所が合併騒ぎで退職が相次いでいた際にも、無事、新しい金融機関の勤め先を見つけることができました。そして、キャリア・年収ともにアップすることができたのです。

私はこれを昔話に倣って、「**わらしべ長者理論**」と呼んでいます。わらしべ、という小さなきっかけがあったからこそ、そこにアブがついて、ミカンにかわり、反物、馬となって、最後は屋敷になるわけです。しかも、それぞれの場合に、それがほしい、と言う人が持つちょっとだけ価値の高いものと交換していくことで、自分も、相手も得をしていくわけです。

私のわらしべは、会計士見習い→金融監査→金融コンサルティング→経営コンサルティング→証券アナリスト→経済評論家と、少しずつ大きくなっていきました。

同じように、キャリアというものは、そういう一歩一歩の積み重ねであり、そのきっかけになるのが「人よりもちょっとだけ優れたこと」なのだと思います。

そのちょっとだけ優れたことは、時代によっても、本人の資質によっても変わってくると思います。なので、とりあえず、自分の手が届く範囲で、種になりそうなことを探してみてください。

以上、ここまでに挙げた学習に共通するのは、「**学習する習慣を身につける**」ということに尽きます。周りの年配の人や上司の人に「どんな人を採用したいですか？」「どんな人を大事にしますか？」と尋ねると、ほぼ一様に「学習意欲がある人」と答えると思います。

よい学習の習慣を身につけ、それを上手に仕事の場に生かすことで、より楽しく学習する習慣づけをする、そのような好循環が生まれてくると、誰でも自然にインディに近づきます。

ただし、くれぐれも、**学習そのものが目的化しないように**、ご注意ください。

お金をコントロールする力

＊収入と支出の現状を知る

四つ目の力は、お金をコントロールする力です。年収がどんなに増えても、稼いだ以上に使ってしまうと、インディの目指すところからは遠くなってしまいます。今自分がいくら稼いでいて、いくら日常で使っていて、どのくらい、どのようにお金を貯めていかなければならないのか、把握していないといけません。

このための、私のお勧めの一つは、**『レシート貼るだけ家計簿』**（丸田潔・馬場由貴著　主婦の友社）。これは、ちょっとしたノートなのですが、工夫があって、金額の計算をせずに、たとえば食費とか公共料金とか、自分で欄を割り振って、そこにレシートをずっと貼っていくと、金額計算ができるようになっています。

人間、見えないものはコントロールができないので、とりあえず、自分がふだんいくら稼いで、いくら使っているのか、大まかに千円単位くらいでいいので、つかんでみましょう。すると、意外なものにたくさん使っていたり、本当は必要なものにあまり使っていなかったりしていることがわかるはずです。

＊節約すべき四つのこと

仕事のお金であれ、家庭のお金であれ、**お金をコントロールするということは、自分の力をコントロールすることと同じ**です。お金を稼ぐ力をつけた後は、上手に使う力をつけないと、たちまちうまくいかなくなります。まず、お金を使う金額を減らすこと。これには、次の四つを実行するのが、とても効果的です。

・新車を買わない。
・新築の家を買わない。
・たばこを吸わない。
・お酒を飲まない。

特に、**「新車を買わない」というのはお金を貯めるための基本**です。

車の保有に関わるコストは、税金・駐車場代・保険代・車の減価償却などを入れると、月々だいたい、数万〜十万円くらいになってしまうことはご存じですか？　どうしても車が必要な場所に住んでいる場合には中古を買い、そうでない場合にはレンタカーとタクシーの併用で補うことをお勧めします。

次に家。新築の家は、昔は値上がりしたので転売で儲けることができたのですが、今は転売する前に価値が下がってしまうし、そもそも業者の粗利益が最初に二十〜三十パーセント乗っていますから、たとえば、三千万円の家を買うと、その瞬間に、あなたは六百万〜九百万円の評価損をかかえることになるわけです。

たばこは、たばこ自体にお金がかかることと、たばこのために損なわれる健康の改善にお金がかかることがあり、両方を合わせたコストは、生涯で三百五十万円くらいだと計算されます。

お酒は、家庭の食費と外食費をどちらも、だいたい三十〜百パーセント、引き上げます。レストランなどは、ふつうの食事だけでは人件費と固定費をまかなうのに精一杯で、差益はお酒で稼いでいる、というのはご存じでしょうか。また、ビールやお酒も半分は税金ですから、税金を飲んでいるようなものです。

＊お金を稼ぎ、賢く使えることが自信につながる

お金を貯めていくことで、**おおよそ一年から二年くらいは収入がなくてもやっていける態勢を作っておくと**、精神的な余裕が生まれます。たとえ、会社をクビになったり、あるいは出産で一年くらい休んだとしても、へっちゃらです。

さらに、お金の仕組みに詳しくなることは、経済の仕組みに詳しくなることにもつながり、仕事にも生きてきます。

お金を自分で稼げるようになり、賢い使い方をできるようになる——この二つが、インディとしての自信をつけていきます。

この章のまとめ

★学び続ける力は次の四つの力から成ります。

1　仕事の場で学び続ける力――メンターとコミュニティ・ラーニング
2　仕事の場の外で学び続ける力――英語・読書・ながら学習
3　ちょっとだけ人よりも優れた力
4　お金をコントロールする力

職場では、メンターやコミュニティ・ラーニングで、先輩や仲間から学んでいきましょう。男性なら自然な学習方法も、女性の場合は、少々積極的になることが必要です。

仕事の外では、英語・読書・ながら学習で学び続けましょう。

英語はとりあえず、ＴＯＥＩＣは七三〇点、できれば八六〇点。そうすれば年収は一・五倍です。

読書の習慣で新聞と本をどんどんと読みこなし、暇な時間や隙間時間に「ながら学習」をしましょう。これができれば、年収六百万円稼げる仕事は、いろいろあるはずですし、逆に、そのようなよい話が自然とくる機会が増えてきます。学習の習慣がつくと、運を引き寄せる力がついてくるのです。

すると、ちょっとだけ、人よりも得意で、みんながほしがる能力ができてくるので、それを大事に育てていきます。「わらしべ長者理論」で、自分が持っているものをどんどん、よりよいものにしていきましょう。そのときには、相手が何を必要としていて、自分が何だったら持っているのか、忘れずにいきましょう。

六百万円以上稼げるようになったら、しっかりと支出をコントロールし、その感覚を仕事の場でも生かしていきます。とりあえず、『レシート貼るだけ家計簿』をつけて、支出を管理。そのうえで、収入の使い方のバランスを決めて、一～二年分の生活費をコツコツと貯めていきましょう。

コラム 4

天職についての考え方

セミナーなどでよく聞かれる質問として、「天職はどのように見つければいいのでしょうか」「どうしたらいいですか」「今の仕事が天職とは思えないのですが、どうしたらいいですか」というのがあります。おもしろいことに、これは前述の川本裕子さんも私も、まったく同意見だったのですが、「今の仕事を一所懸命やっていくことが天職につながります」というふうにお答えするようにしています。

たとえば、今、私は株式分析の仕事をしています。この仕事は、業界の知識、会計の知識、株式市場の知識、ものを書く能力、口頭でプレゼンテーションをする能力、英語能力など、さまざまな組み合わせの能力が要求されています。そして、毎日の仕事を私は天職に近いものとして、とても楽しんでいます。

では、学生時代から、この仕事を天職として考えていたのかというと、そんなことはありません。いつも、与えられる仕事を精一杯、学びながら、つまずきなから行ってきて、そして今の仕事に就いたわけです。

その経過過程としては、わらしべ長者という説明をしましたが、会計事務所に勤めていたことも、トレーダーだったことも、コンサルタントだったこともあります。そして、おもしろいように、そのすべての経験が今の仕事に結びついていくわけです。


経済学では、需給がバランスして市場がうまくいくことを「神の見えざる手」という表現を使っていますが、天職についても、まさしく、日々の仕事を精一杯がんばっていると、周りの引き立てや、あるいはまったく見えないところから、見えざる手が働いて、自分を天職に近いところに導いてくれているのではないかと思っています。

したがって、毎日の仕事を楽しんで、ベストな成果を上げていくと、天職が見えてくるんだ、という考え方をお勧めします。

第5章　いい男を見分けて選ぼう

インディにとってのいい男とは？

ちょっと堅い話が続いてしまったので、インディの大事な条件である、パートナーの話をしましょう。インディの条件として、「自慢できるパートナーがいる」ということを挙げました。そう、インディとは実は、「いい男と恋ができる権利」と言い換えてもいいのです。

では、自慢できる男、いい男、というのはどんな男なのでしょうか。

簡単に言うと、いい男とは、インディの男性版です。具体的に、次の三つの条件を挙げてみました。

・十分な年収（一千万円以上）があり、でも、今がいっぱいいっぱいの状態ではなく、今後も継続して年収が上げられる男
・いい女（＝インディ）の価値をわかっている男であり、女の夢やキャリアをじゃま

せずに、パートナーとして助けられる男
・インディと一緒に、年齢とともに成長していく男

では、順にもう少し詳しく見てみましょう。

年収一千万円以上を余裕を持って稼げる男であること

なぜ、一千万円なのか。これは、いい悪いではなくて、あくまでも経験則から出たものです。やはり、**男にとっては、経済力が自信の根源になります**。なので、女性が六百万円以上稼いでいる場合、一千万円以上稼いでいる男性でないと、どうも必要以上に女性をライバル視したり、あるいはかえって卑屈になったりして、うまくいかないことが多いようなのです。

パートナーの収入のほうが女性よりも低いケースの課題について、『ムギ畑』でも繰り返し会員間で議論されてきました。いろいろな形で相手への役割を見つけてうまくいくケースもありましたが、残念ながら、家事も育児も妻に及ばないという感覚から、どうしても男性側が卑屈になってしまい、離婚に至ってしまうケースのほうが多数を占めていました。

なぜなら、コラム2の「幸福の経済学」で触れましたが、**収入と幸福感には、強い相関関係**があります。それは金額そのものよりは、その金額が自己の存在の証明になっているからのようです。その点、**一千万円以上稼いでいる男には自信がありますので、インディと上手にバランスをとっていける**ようになります。

先にも触れましたが、おもしろいのが、男性の給与所得者の上位十パーセントが一千万円以上、女性の給与所得者の上位十パーセントが六百万円以上だということです。ちょうど、バランスがとれる組み合わせなのかもしれません。

お金の話は小さい話のようで、男女のバランスをとるときには、大きな話になります。一定以上稼いでいる男であれば、インディが仕事に対してがんばっていることについて応援する余裕があって、決してたかったり足を引っ張ったりしないようになります。だから、一千万円の収入はとても重要なのです。

いい男の条件その2

インディの価値を認められる男であること

インディの価値がわかっているとはどういうことかというと、ひと言で言えば、**自分に依存させるように仕向ける男ではない**、ということです。相手の独立性や考え方を尊重する男こそが、インディが選ぶべきいい男です。

では、そういう男をどうやって見分けるのか？　これには、インディの価値がわかっていない男とはどういう男なのかをイメージしたほうが、わかりやすいかもしれません。

たとえば、くらたまさんの『だめんず・うぉ〜か〜』に出てくるだめんずで、女性に対して自分へ従うことを求めるような**「オレ様系」の男**。インディの価値がわかっていない男の典型ですね。

オレ様系の男は、いつも女性が自分を立ててくれることを求めているというか、それが当然だと、心底から思い込んでいます。常に、男性である自分が主役で、女性は、そのオレ様がどんな人間であっても、尊重してくれるサポーターであってほしいと思っているわけです。

なので、どんな場面でも、女性が自分よりも上に立ったり、あるいは、自分と違うことをしたりすることを許さない。常に、相手の女性を自分の管理下に置いておきたいので、相手の行動を把握し、束縛し、そして、「好きならば俺の言うことに従えるはずだ」と緩やかな従属を求めてきます。

これは、男性側に問題があるというよりは、従来の夫婦像としては「オレ様」夫と「ウェンディ」妻というカップルが理想的だとされてきたため、家庭でも、教育の場でも、そのように刷り込まれてしまうことから生じてきているものと考えてください。

やっかいなのは、そういう男が**知り合った最初から一目瞭然の「オレ様」であるとは限らない**ということです。最初は、けっこうまめで、一見自分に夢中な有能な男のように見えてしまう場合も少なくありません。さらに、少々強引なところがあっても、それを頼もしく感じてしまったり、男らしいと誤解をしてしまったりします。

でも、それも初めのうちだけです。よくよくつきあってみると、それは男らしさではなく、ただ相手の独立を認めていない、ということである可能性が高いのです。

一方、「オレ様系」の反対の極にあるのが、**インディに依存してしまう男**です。

優しくて、自分を大切にしてくれる、よく気がつく人だと思ったら、ただ弱虫なだけだったという場合もありますし、外ではしっかりしているように見えても、ちょっと深くつきあうと、インディがいないとやっていけないと、毎日インディに負担をかける男だった、という場合もあります。

相手のことよりも自分のことを優先してほしいと考えているわけで、本質的には、「オレ様」男と変わらないのかもしれません。当然、いい男の条件からはずれます。

いい男の条件その３

インディと一緒に、年齢とともに成長していく男であること

最後の条件、「年齢とともに成長していく男」については、よーくチェックしましょう。多くの女性の場合、「出産」「育児」という、否応なしに自分が成長しないと対応できないイベントがあるので、比較的年とともに成長をしやすい環境にあるのに対し、男性は、（当たり前ですが）出産をしないため、**自分を成長させる機会が仕事だけに偏りがち**です。

ところが、若い頃から仕事ができると思われた男は、仕事場でも家庭でも甘やかされるため、逆に成長の機会を失いがちになり、仕事場ではある程度立派に振る舞っていても、女性から見ると、精神的には二十代のまま成長していないように感じることもあるわけです。外では非常に仕事ができる男のふりをしていても、家の中ではＤＶやモラル・ハラスメントを起こしかねない……だから、本当に要注意です。

お勧めなのは、**挫折を味わって、それを乗り越えてきた人**です。あるいは、**仕事以外に自分で大事に思える何かを持っている人**です。

たとえば、望んでいたキャリアは試してみたもののうまくいかずに、転職、または独立をして、そこで成功をしている、あるいはスポーツや趣味で抜きんでていて、それが仕事ともうまくバランスしている、など。

成長力を計るわかりやすいポイントとして、「**昔話の頻度**」なんかいいかもしれません。成長していない男性の場合は、やたらと過去の昔話、特に自慢話が多くなると思います。

一方、よいパートナーは、今の時間をインディと共有してくれて、その時間の流れの中で、昔話が出てくることはあっても、主役は今の話であり、将来の話になるわけです。

一回で懲りずに、何度でも！

くらたまさんの漫画『だめんず・うぉ〜か〜』に出てくる女性は、けっこう仕事もがんばっていて、しっかりとした女性であるケースも多いようです。では、なぜ、しっかりとした女性の中に、こんなに、だめんず・うぉ〜か〜が多いのでしょうか？

答え――実は、**世の中の男性はだめんずのほうが大多数だから、**です。

ただ、男性の話ばかり言うとフェアではないので、女性のほうも考えましょう。

女性の多くは、なんとなく、いいことが起きそうな気がして男性とつきあっていたり、十分に相手を吟味することなく、「男性とつきあっているのが当たり前だから」ということで、身近なところで相手を選んでしまったりしがちなのだと思います。

さらに、インディとして生きたいと口では言いながら、いざパートナー選びとなると、ウェンディを職業的に必要とする仕事、たとえば商社マンのような転勤の多い仕事や滅私奉公を要求するような職業の男性を選んでしまう人もいるでしょう。**日本の男性はふつうに育つと、妻はウェンディで当たり前だと考えがち**なのが、現実です。むしろ、私たち女性から男性たちに、パートナーはインディであったほうが楽しいケースもあるのだ、ということを教えていかなければならないのです。

ここでもう一つ、インディたちが苦労してきたことで、あまり外には言わないけれども、大事なことがあります。それは、「**男選びは最初の一回で成功することはまずない**」ということです。たぶん、インディ的な生き方をしている人ほど、実は離婚率もそれなりに高いものと思われます。残念ながら、男選びについては、失敗しながら、経験を積みながら、学んでいくしかないのです。

とりあえず、大好きなパートナーを作って、一緒に過ごしてみてください。どんどん結婚もしてみてください。そうすると、どうしても一定の確率で別れは生まれます。でも、大事なのは、その失敗から、女性も男性も、学んでいくことだと思います。

この章のまとめ

★インディにとってのいい男の条件とは次の三つです。

その１　年収一千万円以上を余裕を持って稼げる男であること
その２　インディの価値を認められる男であること
その３　インディと一緒に、年齢とともに成長していく男であること

★気をつけなければいけないのは、「オレ様系」の男と「依存してくる男」。
そして、私たち自身の中にあるウェンディ的生き方に基づくパートナー選びです。

★男選びは最初の一回で成功するとは限りません。失敗から学び、何度でもパートナー選びをしましょう。

コラム 5

離婚に関する考察

誤解をしていただきたくないのが、別に私は離婚を積極的に勧めているわけではない、ということです。ただ、自分自身も二回、そして『ムギ畑』を中心に離婚のケースを数十件以上、見てきた立場としては、「上手な離婚は、関係者をみな、幸せにする」と思っている、ということです。

転職にたとえてみると、わかりやすいかもしれません。日本では一時期、特に上場企業を中心に、転職はかなり例外的な勤務形態で、いわゆる終身雇用が一般的でした。ところが、ここ十年くらい、転職は当たり前になってきて、今はもう、誰も転職をした、ということについて驚かないし、ネガティブにはとらえないと思います。

同じように、離婚についても、これまで例外だったのが、逆に婚姻継続のケースと離婚のケースが同じくらい身近になってくるのではないでしょうか。そうすると、転職市場が生まれてきたように、再婚市場も生まれるし、また、どこまでが婚姻を継続すべきで、どこからが離婚をしたほうがいいのか、というノウハウも社会全体にたまってくると思っています。

よくも悪くも、いろいろな環境変化が激しくなってきているため、最初はうまくいっていても、互いの方向性の違いや成長スピードの違いなどにより、不可逆的、あるいは構造的に悪くなっていく間柄、というのがあります。その場合、修復が不可能なのであれば、離婚という選択肢もあり得るし、そのためには六百万円の年収と、そして離婚しても次の相手が見つかる魅力を兼ね備えていたほうが、人生の自由度が上がるかと思っています。

また、『ムギ畑』には、別居婚や別姓婚など、これまでの同居・同姓婚にこだわらない、さまざまな結婚形態を実施しているカップルがいます。もし男女ともに独立した精神状態と経済状態を保持できるのであれば、パートナリングの形もいろいろ変わってくるのではないでしょうか？

第６章　明日から始める六つの約束

インディになるための六つの約束

ここまで読んで、よし！　私もインディになろう！　と思われたあなたに、今からすぐできる「六つの約束」をお届けします。「じょうぶな心」と「学び続ける力」のそれぞれのレッスンにつき三つずつ、計六つです。一つ一つは簡単なことなのに、実際にやってみると、とても効果的なので、びっくりすると思います。

・「じょうぶな心」のために
約束１　愚痴を言わない
約束２　笑う、笑う、笑う
約束３　姿勢を整える
・「学び続ける力」のために
約束４　手帳を持ち歩く

約束5　本やCDを持ち歩く
約束6　ブログを開く

この六つを実行していくと、自然と、インディに必要な四つの心（自分の想いで環境を作る、周りと調和する、すべてをゼロイチで考えない、がんばりすぎない）と四つの力（仕事の中で学ぶ、仕事の場の外で学ぶ、ちょっとだけ人より優れる、お金をコントロールする）が身につくようになります。

そして、いい男を見抜く力も、引きつける力も備わってくるはずです。

では、順番に説明していきましょう。

約束1

愚痴を言わない

まず、約束1「愚痴を言わない」です。

これは、とても簡単です。何か困ったことがあって愚痴を言いたいな、と思ったら、口にする（心の中でも）前に、ちょっと考えてみるのです。

たとえば、これまでだったら、「○○さんのせいだ」とか「私が女だから損をするのだ」といった被害者意識が生じるに任せていたのを、とりあえず捨ててみる。その代わり、なぜ今、愚痴を言いたいのか、この愚痴を言わなくてもいいようにするには、何をすればいいのだろう、と考えるわけです。

愚痴を言って、周りの人から「そうだね、あなたの言う通りだよ、あなたは悪くない」と言ってもらい、自分の考え方ややっていることを正当化するのは、とても簡単だし、快適なことです。もちろん、その愚痴が当を得ているときもあるでしょう。でも、それが習慣化している限り、じょうぶな心は手に入りません。

＊愚痴を言いたくなったら、問題を整理してみる

たとえば、誰かに対する愚痴を友人に言うと、その友人が「そうかなぁ、○○さんの言っていることも一理あると思うよ」と言ったとしたら、あなたはどのように反応するでしょうか？

きっと、最初は怒ると思います。何もわかっていないくせになどと、悔しく思うでしょう。それが、その問題に対し、単なる愚痴という方法で対処（というか、逃避）しようとしている証拠です。仮に、これを、次のように問題を整理してみることはできないでしょうか？

「なぜ、○○さんはこのようなことを私に言うのか」
「なぜ、○○さんにこういうことを言われて、私は腹が立つのか」
「私が○○さんだったら、こちらのことをどのように感じるだろうか」

「このような問題があることで、二人の間にどのような影響があるのか」
「この問題がなくなったら、二人にとってどのような得なことがあるのか」
「この問題を解決するためには、○○さんと私は一緒に何をすればいいのか」

一般には、もともと人に不満を持ったりしないのがいいのでしょうが、誰でもときには、愚痴をこぼしたくなるものです。そういう悪い感情にふたをして、あまりにも自分をごまかしていると、うつ病になったり、帯状疱疹になってしまったりすることもあります。

なので、**愚痴を言いたくなったら、それを無視するのではなく、ちゃんと問題解決をする習慣**をつけるのです。つまり、それがどのような問題から発生していて、何が本当に困っているのか、整理して考える癖をつけてみてください。

すると、意外なことに問題の八十パーセントくらいは、放っておいてもかまわないものだと、突然気づくはずです。

このとき、**二十—八十の法則を使う**とよいでしょう。すべての愚痴について問題解決をしていると、かえってそれだけでくたびれてしまいます。そこで、**本当に大事な二割の愚痴について解決することによって不満の八割を解決していく**のです。

愚痴をやめると、心が自然とじょうぶになっていきます。

約束2

笑う、笑う、笑う

約束2は「笑う、笑う、笑う」です。これも簡単ですね。笑う、というのは、精神にとって万能薬なのです。**落ち込んだときは、ゆっくり寝て、太陽の光をたくさん浴びて、笑えばいい。それだけで、ほとんどのことは解決してしまう**と言われています。

楽しいこともないのに笑えないよ、と思うかもしれませんが、笑っていれば、楽しいことがやってくるのです。

日本笑い学会という団体がありますが、その中で、博多笑い塾を主宰する医者の伊藤実喜先生は、笑いの効用を九つにまとめています。

1　脳内ホルモン分泌で痛みなどを緩和

2　内臓の消化機能が向上

3　横隔膜や腹筋などを強め便秘を予防

4　ＮＫ細胞（免疫細胞）が増えて免疫力が向上
5　血液がサラサラして生活習慣病を予防
6　アルファー波が増え全身が癒される
7　若返りホルモンの分泌が促進
8　頭がスッキリし忍耐力とやる気が出る
9　自分が笑うと相手も笑顔になる

実際に、ご本人も、治療と併せて、手品を患者さんの前で演じて笑わせることで治療効果を高めようと、いろいろな組み合わせで「笑い」を活用しています。

他には、たとえば笑顔コンサルタントの門川義彦さんという方がいまして、**笑顔の技術を販売スタッフに指導することで、売上を半年で二・五倍に伸ばす、顧客単価を伸ばす、社員の遅刻や退職を激減させる、**という効果を証明しています。

机の上に、小さな手鏡を用意して、まずは笑顔の練習をしてみませんか？

約束3

姿勢を整える

姿勢を整えるというのは、具体的には、**背筋を伸ばし、猫背にならず、笑顔を忘れずに、しゃきっと、堂々と、振る舞おう、**ということです。なぜ姿勢が大切かというと、人とコミュニケーションをとろうとする場合に、相手がいだく印象は、びっくりするくらい、こちらの姿勢や顔つきによって左右されるためです。

＊メラビアンの法則

こういうときに必ず引用される「メラビアンの法則」というものがあります。これは、一九七一年にメラビアンという人が行った実験で、

五十五％＝Visual（視覚情報：見た目・表情・しぐさ・視線）

三十八％＝Vocal（聴覚情報：声の質・速さ・大きさ・口調）

七％＝Verbal（言語情報：言葉そのものの意味）

の順序で、人は影響を受けやすい、というものです。

この実験自体はやや誤解されがちなのですが、正確には、「人間が矛盾したメッセージを受け取った場合、たとえば、怒った顔をしながら優しい言葉をかけられた場合、相手はどちらのメッセージを優先するか」を測ったものです。つまり、視覚情報を優先する人が五十五パーセント、聴覚情報を優先する人が三十八パーセント、言語情報を優先する人が七パーセントということなのです。

で、ここで大事なのは、**私たちは最初に、視覚情報で判断されてしまう**、ということです。具体的には、「あごを上げず」「背筋を伸ばして」「落ち着いて相手のことを見ながら」「必要もない動作はとらずに」「目尻にしわを寄せず」「口角を下げずに」話す技術になります。

＊よい姿勢には腹筋と背筋が必要！

では、どうしたら、自然によい姿勢がとれるか、というと、実はそこには、健康でいる、ということが大きく関わってくるのです。顔つきにしろ、あごの角度にしろ、意外と筋肉の訓練がいるものです。猫背にならないためには、腹筋と背筋がそれなりに鍛えられていないといけません。

なので、姿勢をよくしようと思ったら、定期的に運動をして、筋肉を保ってください。運動の適量は一日、おおよそ三〇〇キロカロリーくらいだと言われています。これがどのくらいの運動量かは、一〇〇キロカロリーを消費するのに必要な時間から逆算するとわかりやすいでしょう。

・ゆっくりとしたウォーキングや掃除機がけなど、弱めの運動で、一〇〇キロカロリーを消費するには、四十〜六十分必要。
・自転車やラジオ体操など、少し強めの運動で、一〇〇キロカロリーを消費するには、約三十分必要。

・テニス、水泳、ジョギング、腹筋運動など、強い運動で、一〇〇キロカロリーを消費するには、約十五分必要。

これらを組み合わせた運動をスポーツクラブで一時間弱行うか、自転車やウォーキングを一日二時間くらいすると、だいたい消費できるカロリーになります。

また、速めに一万歩歩くと、おおよそ二〇〇～三〇〇キロカロリーになりますので、毎日一万歩歩くと身体にいい、というのも、根拠がない話ではなさそうです。

「じょうぶな心」編の三つの約束、「愚痴を言わない」「笑う」「姿勢をよくする」を守ることで、不思議なことに、自然とインディに必要な四つの心「自分の想いで環境を作る」「周りと調和する」「すべてをゼロイチで考えない」「がんばりすぎない」が実現できるようになります。

約束4

手帳を持ち歩く

では続いて、「学び続ける力」編の約束にいきましょう。

まず、必要なのは、手帳を持ち歩く習慣を持つことです。年収六百万円を達成したインディの女性と、達成したくてもまだできない人で、おそらく、もっとも大きく違うのは、手帳を使うことが習慣化しているかどうか、だと思います。

手帳の種類ですが、文房具店や書店の売り場に行くと、さまざまな手帳が所狭しと並んでいますので、好きなものを買えばいいと思います。ただ、必ず持ち歩くこと、使い続けること、の二つができるものを選んでください。私がこれまでの経験をもとにプロデュースした『ワーク・ライフ・バランス手帳』『無理なく続けられる年収10倍アップ手帳』（小社刊）もお勧めです。

＊手帳の三つの役割

手帳には、次の三つの役割があります。

1　目標を決める。
2　自分のスケジュール管理をして、目標に向かって着実に進む。
3　日々、気づいたことを書き込む。

最初の「目標を決める」というのはとても大事なことです。今、あなたは大きな海原を航海しているようなものなのですから、行き先を決めないと、どこに力を注いでいいのか、決めることもできないからです。

手帳には、まず、

・これから先、目標にしたいことを書きます。
・次に、それに向かって、今年、何をするのか、を書きます。
・次に、それに向かって、今月、何をするのか、今週、何をするのか、そして最後に、今日、何をするのか、と順に書き込んでいきます。

それに併せて、多くの手帳には、スケジュールを書き込む欄と、「To Do List」と言われる、今日やらなければならないことを書き込む欄があると思いますので、そこにやらなければいけないことを書いていきます。

これを繰り返していけば、「自分のスケジュールを管理して、目標に向かって着実に進む」という進捗管理が、目で見ながらできるようになります。

さらに手帳のもう一つの大きな役割として、「**気づいたことを書き込むこと**」という役割があります。人と話をしていて、あ、この言葉いいなぁ、と思ったら、すかさず手帳に書き込む。おもしろい本があるんだよ、と言われたら、さっとその本の題名を手帳に書き込む。そうだ、このことを調べないと、と思ったら、その場で手帳に書き込む――自分の記憶の補助として、どんどんと書き込みをしていきます。

また、手帳には、**使ったお金の管理をする**、という機能もあります。レシートを挟んでもいいし、レシートがもらえなかったお金についてはメモを取ってもいいですが、お金に関する情報も、とりあえず、この手帳に集めて管理をしていきます。

＊小さい手帳と大きな手帳

年収が着々と上がり、いい男とつきあえるようになり、年とともに成長していくためには、日々、昨日より今日、今日よりも明日の自分がよくないといけないのですが、その**コントロール・センターとなる**のが、この手帳なのです。

もちろん、私は記憶力がいいので、手帳なんか必要ない、と思っている人がいるかもしれません。あるいは、手帳なんて面倒くさい、と思っている人もいるかもしれません。

しかし、頭の中で考えていることや、これからしなければいけないことを、言葉やスケジュール表、という形で文字にするというのは、実はとても大事な作業です。

この手帳の使い方一つで、私たちの成長力が左右されてしまう、といっても過言ではないと思います。ですから、必ずペンと手帳はいつもすぐに出るところに用意をして、あなたの今と未来をしっかりと管理してください。

私はポケットに入る小さな手帳と、少し大きめのシステム手帳を併用していまして、何か気づいたことについては小さな手帳に、目標やスケジュール管理についてはシステム手帳に、と使い分けています。

小さな手帳は、街でおもしろいものを見かけたり、人からいい情報をもらったりしたとき、その場でポケットから取り出して、メモを取るようにしています。

大きな手帳は、寝る前と朝に見直して、翌日と当日のスケジュールを確認し、自分の時間の配分を考えていきます。また、週の目標や月の目標も、その手帳を見ながら、定期的に見直して、管理をしています。

小さな手帳に書いたもので、必要なものは大きな手帳に転記をします。

手帳を使うということが、自分の学びを行い、スケジュールや労力の使い方を管理していく基本になるわけです。

約束5

本やCDを持ち歩く

約束5は、主に、「ながら学習」のための約束です。

インディになるための一つの技術は、とにかく、隙間時間にコツコツとスキルをたくわえていくことです。

移動時間ができた、昼食後十分から十五分くらい一人になれる時間ができた、単純な伝票処理やメール処理作業がこれから何時間か続くなど、隙間時間は意外とたくさんあります。この時間帯に、仕事のちょっとした本や英語で聴くためのCDなんかをささっと読んだり、聴いたりするわけです。

＊すぐに出せる場所に持っていること

ポイントは、手帳と同じで、すぐに出せる場所に持っていることです。

CDは、実はそのままだと大きくて使いづらいので、i-PodやMP3に移し替えたり、MDに録音したりして、ポケットに入るサイズにしておきます。そして、ちょっと時間が空いたときに、ささっと、ヘッドフォンを耳につけて、コツコツと聴いていくわけです。

本も鞄の奥深くではなく、**ポケットに近いところに入れて、すぐに出せるようにしておきます**。そうすると、たとえ一駅、二駅しか電車に乗らないとしても、さっと出して読むことができるようになります。

＊隙間時間で、勉強時間も習得のスピードも五割増し

他には、たとえば病院の待ち時間とか、ちょっと買い物でレジに並んでいる間なども、音声や本での勉強時間になります。

約束3で姿勢をよくするには一定量の運動が必要だと言いましたが、運動をしているとき、たとえばスポーツクラブでランニング・マシーンを使っているときなどに、しっかりと英語の勉強をするのも効果的です。

試しに、週末に四時間だけ勉強する人と、週末に加えて、平日も三十分ずつ隙間時間に勉強する人の勉強量を比べてみましょう。

- 週末だけ勉強する人は一週間で四時間だけです。
- 平日も勉強する人は、三十分×五日＝二時間半が加わりますので、計六時間半になります。

隙間時間に勉強する人は、週末だけの人と比べて、約一・五倍勉強量を増やすことができるようになりますので、五十パーセント早く、知識やスキルを身につけることができるようになります。

心の中で、「**五割増し、五割増し**」と唱えながら、コツコツと隙間学習をやってみてください。

約束6

ブログを開く

＊学んだことを自分から発信し、活用する

最後の約束は、「ブログを開く」です。すでに開いている人も多いかもしれません。ブログとは「ウェブブログ」の略で、日記風の簡易型ホームページのことです。

これまでのインターネットのページと違って、パソコンとインターネット環境さえあれば、特別なソフトや有料の契約が必要なく、誰でも簡単にホームページを開くことができるようになったのが特徴です。

では、なぜ、ブログがインディになる訓練として必要なのでしょうか？

答えは、ブログはあなたに「成果をみんなに披露する場所」を提供するからです。

大人の学習法については、さまざまな方法論や素材が出ています。しかし、本当に大事なのは、**学んだことを自分から発信してみること**ではないでしょうか。

この本に何回も出てくるくらたまさんの話ですが、初めて会ったときにとても印象に残ったものとして、「私は漠然としたものを絵や言葉にするのが仕事なので、その繰り返しを通じて、とても早く成長ができた」という発言がありました。

これはまさしく、学びの鍵のすべてを表していると思います。**「学び」というのは、外から情報を仕入れて、自分の中でいったん消化し、それを活用して、別の人とのコミュニケーションや創作活動に生かす、ということとの繰り返し**だと私は考えます。

くらたまさんの場合は、作品を広い読者に向かって発表すること自体が仕事の場となっているので、特にブログは必要ありません。でも、ふつうの人には、なかなか、そういう機会がない。そこに登場したのがブログです。ブログという形で、それが、広く誰でもできるようになったのです。これを生かさない理由はありません。

＊訓練の場としてのブログの活用法

ブログを開いてみると、意外と、書くことがない、ということがわかります。というのは、あまりにも自分のささいな話ばかり書いても気恥ずかしいし、そもそも人が読んでもおもしろくない。だからといって、あまり仕事寄りの話だと仕事の守秘義務の問題やプライバシーの問題があって書きにくい。

だからこそ、ブログで、「どのようなテーマで」「誰に向かって」「どのようなメッセージを」提供するのかを考えていくのは、とてもよい訓練となります。そのことで、日常生活へのアンテナがとぎすまされ、学習効果が上がっていきます。


私は三つのブログを作っています。二つのブログは週に一回ずつ、一つのブログはほぼ毎日、更新しています。そのうち、一つのブログは「ながら学習」を紹介するもの、もう一つのブログはいろいろなマーケティングの切り口や手法を紹介するもの、最後のブログは、おもしろいと思ったことをランダムに記述していくものです。

三つのブログを合わせると、一日平均四千人くらいの人がなんらかの形で読んでくれていまして、うち数人の方がいろいろなコメントを返してくれたり、あるいはリンクやトラックバックと言いますが、自分のブログとつなげてくれたりします。そこはまさしく、自分の考え方を発表するちょっとした小冊子のようなもので、あまり恥ずかしいことは書けない、という自覚が働きます。

このように、ふだん学んだことや気づいたことを、もう一度言葉にして広い対象の人に問いかけることで、自分自身が再び幅広い人からいろいろな意見を聞くことができるようになり、世界が広がっていくわけです。

ブログを開くのには、技術的には、さほど時間はかかりません。むしろ、どのようなことをテーマにするのか、ブログを通じて自分はどのような果実を得たいのか、どうやってブログに人が来てくれるようにするかなどに、より時間がかかることでしょう。

仕事の場では、自分だけでいろいろなことを設計することはなかなか難しいものですが、ブログであれば、題名、内容から、コピーライト、デザインまで、すべて自分で決めることができます。ここに、自分の学習の成果の場を用意して、自分の成長を客観的に、披露していきましょう。

そのプロセスを通じて、多くのことが得られると思います。

この章のまとめ

六つの約束をもう一度まとめてみましょう。

★「じょうぶな心」のために

約束１　愚痴を言わない

約束２　笑う、笑う、笑う

約束３　姿勢を整える

★「学び続ける力」のために

約束４　手帳を持ち歩く

約束５　本やＣＤを持ち歩く

約束６　ブログを開く

この六つの約束を守ることで、

インディの条件その１　年収六百万円以上を稼げること
インディの条件その２　自慢できるパートナーがいること
インディの条件その３　年をとるほど、すてきになっていくこと

につながっていくわけです。

コラム 6

人間は言動によってしか変われない

この章で、六つ、具体的な行動のヒントを示したのは、人間は言葉と動作でしか変わることができないと信じているためです。言葉とは、自分の声に出す言葉かもしれませんし、ブログなどに自分で書き込む言葉かもしれません。また、動作とは、実際に行動に移してみることです。

私がこれまで、仕事場や『ムギ畑』で人の観察をしていて感じるのは、伸びる人、伸びない人の差は、行動力の差であることが大きいということです。頭がいい人、というのは確かによく伸びるのですが、なぜ頭がいい人が伸びやすいかというと、行動力を伴っている人が多いためだと思います。

たとえば、ここで書いた六つの約束を見て、今もし手帳を持っていないとしたら、今すぐインターネットで手帳を注文したり、明日文房具屋さんに行く人、こういう人は間違いなく伸びます。ブログも同様です。明日とは言いませんが、数日以内に開設した人と、開設しなくてはと思っただけの人では、結果が違ってくると思っています。

言動が変わることで、結果が変わる、そこで行動や学習の意義を再認識し、さらに次の行動につながっていく。そのようなよい循環ができるかどうか、あるいはその循環のスピードが人よりも速いのか遅いのかで、成長のスピードが変わってくるのではないか、と感じているところです。

有名な話で、日本電産という会社で就職試験を行うときに、わざと固いお弁当を用意して、それが試験だと言わずに受験者に食べさせ、速く食べ終わった順に採用したら非常に高パフォーマンスの人が多かった、という実話があります。

結局、得た知識のうち、言葉に落とし、行動に落としたことが、結果につながるわけです。ぜひ速いスピードで、その言動を回してみてください。

本書は、二〇〇六年一月に小社より刊行した
『インディでいこう！』に一部加筆し、改題したものです。

あとがきにかえて

内緒のおまけ1

インディとは、究極的には、「いい男と恋をしながら自由に生きられる権利」のこと

ここまで、順番に「インディ」という生き方について説明してきました。最後に、インディになると本当にいいことは何かをお伝えしたいと思います。

結局、インディになるともっともいいことは、「いい男と恋をしながら自由に生きられること」です！

いい男とつきあう、いちばんいい方法は何でしょうか？

答え——いい女になることです。

いい女、というのはもちろん、容姿が美しい女ということもあるのでしょうが、容姿の美しさだけでは長続きしないのは、男女ともに同じことです。

一方、インディのように独立した心を持っていて成長し続ける女は、飽きがきにくいわけです。でも、何よりいいのは、相手の男が不満を言い始めたり、つまらないことを言って依存してきたら、さっさとこちらから関係を終わらせる、という権利を持っていることです。

さて、最後に、インディの特徴の一つとして、「自然体」であるということも挙げておくべきでしょう。いくら独立したいといっても、周りから見ると、本人が無理をしているような、いわゆる「イタい女」にはなりたくないものです。

目指すところは、**ナチュラル&インディペンデント、「自然な自立」**です。

いい仕事と、いい男と、いい自分。実は、この三つはセットでないと、うまく動かないのです。この三つのバランスを上手にとりながら、自分なりのインディの姿を目指しましょう！

内緒のおまけ2

インディを目指すなら、これだけは読んでおくべき！勝間和代のお勧め本厳選二十冊

1

『7つの習慣』（スティーブン・R・コヴィー著　キングベアー出版）

自己啓発書はこれ一つで完了というくらいの基本書。

2

『さあ、才能（じぶん）に目覚めよう―あなたの5つの強みを見出し、活かす』（マーカス・バッキンガム&ドナルド・O・クリフトン著　日本経済新聞社）

一人一人の強みを見つける方法。

3

『「困った人たち」とのつきあい方』（ロバート・M・ブラムソン著　河出書房新社）

困った相手を類型化し、対応方法をアドバイス。

4

『ライフストラテジー　人生戦略』（フィリップ・マグロー著　きこ書房）

人生で、正しいことをすることと、戦略を組むことの違いを知る。

5 **『向上心──運命のカベを破る人になれ』**（サミュエル・スマイルズ著　三笠書房）
人間いかに生きるか、生き方の大原則の古典。

6 **『自助論──「成功パターン」を作る習慣』**（サミュエル・スマイルズ著　三笠書房）
国内外の成功事例から、自助の大切さを学ぶ。

7 **『「行動できない人」の心理学』**（加藤諦三著　PHP研究所）
行動できない人、周りに批判的な人の心理を探る。

8 **『モラル・ハラスメント』**（マリー＝フランス・イルゴイエンヌ著　紀伊國屋書店）
職場、家庭で起こりうるモラハラを事例から学ぶ。

9 **『ひとを〈嫌う〉ということ』**（中島義道著　角川書店）
なぜ相手が嫌いなのか、哲学者が説明。

10『結婚の謎（ミステリー）』（W・グラッサー&C・グラッサー著　アチーブメント出版）
うまくいく結婚といかない結婚について、選択理論という概念を知る。

11『会社でチャンスをつかむ人が実行している本当のルール』
（勝間和代&福沢恵子著　ディスカヴァー）
女性や若者が会社でうまく渡り合っていくにはどうするか。

12『会社の掟　知らない女性はソンしてる―ビジネス・ゲーム』
（ベティ・L・ハラガン著　WAVE出版）
女性が働く際に読むべきバイブル。すべてのキャリアはここから始まる。

13『身体が「ノー」と言うとき―抑圧された感情の代価』（ガボール・マテ著　日本教文社）
精神的に抑圧されると、心の代わりに体が変調をきたします。

14『「世間」とは何か』（阿部謹也著　講談社）
世間と社会の違いに関する名著。

15 『共依存症―いつも他人に振りまわされる人たち』（メロディ・ビーティ著　講談社）
夫婦や友人、家族関係に起きがちな共依存への警鐘。

16 『愛する二人別れる二人』（ジョン・M・ゴットマン&ナン・シルバー著　第三文明社）
なぜうまくいくカップルといかないカップルがあるのか。

17 『こころの処方箋』（河合隼雄著　新潮社）
ふだんの気持ちの中で、何を意識すると心が楽になるか。

18 『心が軽くなる本』（山崎房一著　PHP研究所）
何を心の中で大事にするのか。

19 『「不機嫌」と「甘え」の心理』（加藤諦三著　PHP研究所）
なぜ人は、理由もなくイライラして、甘えるのか。

20 『確率的発想法―数学を日常に活かす』（小島寛之著　日本放送出版協会）
確率的にものを見る考え方を説明。

謝辞

この本は、これまでの私自身の経験と、ムギ畑を運営する中での知見、そして、いろいろな諸先輩方や以前仕事でお世話になった方からヒントを得て、まとめました。最後に、順にお名前だけ挙げさせてください。

・私のブログを見て、この本を書くことを勧めてくださった、出版社ディスカヴァー・トゥエンティワンの干場弓子社長。編集やアイデア出しを含め、本当にお世話になりました。

・今回の携書版を作るにあたって、担当していただいた編集の橋詰悠子さん。同じワーキングマザー仲間として、『ワーク・ライフ・バランス手帳』の編集でも大変お世話になっています。

・この本の装丁でお世話になった石間淳さん。石間さんからはいつも、自然だけれどもインパクトのあるデザインとはどういうものなのか、学ばせていただいて、とても参考になります。

・『インディでいこう!』を出版する前から、私のブログを応援してくださって、「マインドマップ的読書感想文」のαブロガーとしても有名なsmoothさん。smoothさんが今回の携書にするというアイデアを発案してくださったことが、再刊につながりました。

・この本のコンセプトをまとめるにあたって、何回もいろいろなヒントをくれた漫画家、倉田真由美さん。特に男性については、私の何倍もの知見があり、大変参考になりました。

・インディとして名前を載せることを快く了承してくださった、川本裕子さん、柏恵子さん。お二人とも長いつきあいですが、数年先をゆく先輩として、いつも背中を見ながら歩いています。

・「インディ」というコンセプト名称を一緒に考えてくれた、元マッキンゼー同僚で京都大学産官学連携センター寄付研究部門准教授の瀧本哲史さん。私がとりとめもなく話すことを、しっかりと軸に整理してくれて、助かりました。

・親友で、ディスカヴァー・トゥエンティワンから『ミリオネーゼの仕事術［入門］』

をすでに出版していたことが、千場社長との架け橋になった秋山ゆかりさん。いつも貴重なディスカッション・パートナーです。

・もう一人の親友で、姿勢や笑顔の大事さについていつも教えてくれている、岩永摩美さん。じょうぶな心の章をまとめるときに、いつも岩永さんの話を思い出していました。

・『ムギ畑』を一九九八年から十年間、一緒に運営してきたシスオペ（常任運営委員会）の腰前弘子さん、伊藤久美さん、大畑達子さん、佐々木真理さん、ももせいづみさんをはじめ、四十名あまりのムギ畑運営スタッフの方々。

他にも、この本はいろいろな人との出会いから生まれてきています。まだまだ未熟ですが、このような本を出版する機会を得ることができただけでも、本当に感謝しています。

そして、一人でも多くの方が、「インディ」というコンセプトに賛同し、その生き方を一緒に作り上げてくれることを願っています。

関連ＵＲＬ

・ムギ畑
http://www.mugi.com/

・私的なことがらを記録しよう!!
http://kazuyomugi.cocolog-nifty.com/private/

・日々の生活から起きていることを観察しよう!!
http://kazuyomugi.cocolog-nifty.com/point_of_view/

・ＣＤ、テープを聴いて勉強しよう!!
http://kazuyomugi.cocolog-nifty.com/audio_book/

おまけ　悩みを勝間に相談してみよう

この本をお買い求めいただいた方の特典として、著者の勝間に、悩んでいることを相談できる権利があります。下記のe-mailアドレスに以下の要領で応募してください。

★応募先　kazuyo@mugi.com

★題名には「インディでいこう、相談」と明記してください。

★質問回数は、お一人につき一回までになります。

★記載内容は、お名前、年齢、現在のお仕事、悩んでいることをなるべく具体的に入れてください。

★電子メールでの返信先も必ずお願いします。

★お返事については、電子メールでお返しします。なお、匿名にさせていただきますが、相談内容については、インディのウェブで紹介させていただくこともありますので、あらかじめ、ご了承ください。また、相談が多数寄せられた場合には、お返事にはある程度時間がかかると思いますが、その点もご了承ください。

ディスカヴァー携書　022
勝間和代のインディペンデントな生き方　実践ガイド

発行日　2008年 3 月 1 日　第1刷
　　　　2008年 3 月20日　第3刷

Author　勝間和代

Book Designer　石間淳
長坂勇司（フォーマット）

Publication　株式会社ディスカヴァー・トゥエンティワン
〒102-0075　東京都千代田区三番町8-1
TEL　03-3237-8321（代表）
FAX　03-3237-8323　http://www.d21.co.jp

Publisher　干場弓子

Editor　干場弓子　橋詰悠子

Promotion Group
staff　小田孝文　中澤泰宏　片平美恵子　井筒浩　千葉潤子
早川悦代　飯田智樹　佐藤昌幸　横山勇　鈴木隆弘
大薗奈穂子　山中麻吏　吉井千晴　山本祥子　空閑なつか

assistant staff　俵敬子　町田加奈子　丸山香織　小林里美　冨田久美子
井澤徳子　古後利佳　藤井多穂子　片瀬真由美　藤井かおり
三上尚美　福岡理恵　長谷川希

Operation Group
staff　吉澤道子　小嶋正美　小関勝則
assistant staff　竹内恵子　畑山祐子　熊谷芳美
清水有基栄　鈴木一美　田中由仁子　榛葉菜美

Creative Group
staff　藤田浩芳　千葉正幸　原典宏　三谷祐一　石橋和佳
大山聡子　田中亜紀　谷口奈緒美　大竹朝子

Printing　共同印刷株式会社

ISBN978-4-88759-626-9